MEGA

KARL MARX
FRIEDRICH ENGELS
GESAMTAUSGABE
(MEGA)
ZWEITE ABTEILUNG
"DAS KAPITAL" UND VORARBEITEN
BAND 3

Bearbeitung des Bandes:
Hannes Skambraks (Leiter),
Wolfgang Focke, Barbara Lietz, Christel Sander,
unter Mitarbeit von Jutta Laskowski.
Gutachter: Larissa Miskewitsch, Roland Nietzold, Witali Wygodski.

경제학 비판을 위하여(1861~63년 초고)
제2분책

ZUR KRITIK DER POLITISCHEN ÖKONOMIE
(MANUSKRIPT 1861~63)
TEXT · TEIL 2

잉여가치론 · 1

카를 마르크스 지음 | 강신준 옮김

동아대학교 맑스 엥겔스 연구소

도서출판 길

경제학 비판을 위하여(1861~63년 초고) 제2분책
잉여가치론 · 1

2021년 5월 10일 제1판 제1쇄 펴냄
2021년 5월 20일 제1판 제1쇄 펴냄

지은이 | 카를 마르크스
옮긴이 | 강신준
펴낸이 | 박우정

기획 | 이승우
편집 | 이현숙
전산 | 한향림

펴낸곳 | 도서출판 길
주소 | 06032 서울 강남구 도산대로 25길 16 우리빌딩 201호
전화 | 02) 595-3153 팩스 | 02) 595-3165
등록 | 1997년 6월 17일 제113호

ISBN 978-89-6445-242-4 94320
ISBN 978-89-6445-240-0(전2권)

이 저서는 2018년 대한민국 교육부와 한국연구재단의 지원을 받아 수행된 연구임(NRF-2018S1A5B4060558).

차례

약어, 약호, 부호 목록

I. 약어

Grundrisse…(요강) 카를 마르크스: 경제학 비판 요강. 1857/1858년 초고.

IML/ZPA Moskau(모스크바 마르크스주의-레닌주의연구소) 소비에트연방공산당 중앙위원회 마르크스주의-레닌주의연구소. 중앙당 아카이브.

MEGA② II/1.1 카를 마르크스, 프리드리히 엥겔스: 전집(MEGA), 모스크바 마르크스주의-레닌주의연구소/동독 마르크스주의-레닌주의연구소 편집, 제2부 제1권: 카를 마르크스, 1857/1858년 경제학 초고, 제1분책, 베를린, 1976년.

MEGA② II/3.1 카를 마르크스, 프리드리히 엥겔스: 전집(MEGA), 모스크바 마르크스주의-레닌주의연구소/동독 마르크스주의-레닌주의연구소 편집, 제2부 제3권: 카를 마르크스, 경제학 비판을 위하여(1861~63년 초고), 제1분책, 베를린, 1976년.

MEGA② II/3.3 카를 마르크스, 프리드리히 엥겔스: 전집(MEGA), 모스크바 마르크스주의-레닌주의연구소/동독 마르크스주의-레닌주의연구소 편집, 제2부 제3권: 카를 마르크스, 경제학 비판을 위하여(1861~63년 초고), 제3분책.

G8

MEGA② II/3.4 카를 마르크스, 프리드리히 엥겔스: 전집(MEGA), 모스크바 마르크스주의-레닌주의연구소/동독 마르크스주의-레닌주의연구소 편집, 제2부 제3권: 카를 마르크스, 경제학 비판을 위하여(1861~63년 초고), 제4분책.

MEGA② II/3.5 카를 마르크스, 프리드리히 엥겔스: 전집(MEGA), 모스크바 마르크스주의-레닌주의연구소/동독 마르크스주의-레닌주의연구소 편집, 제2부 제3권: 카를 마르크스, 경제학 비판을 위하여(1861~63년 초고), 제5분책.

MEGA② II/3.6 카를 마르크스, 프리드리히 엥겔스: 전집(MEGA), 모스크바 마르크스주의-레닌주의연구소/동독 마르크스주의-레닌주의연구소 편집, 제2부 제3권: 카를 마르크스, 경제학 비판을 위하여(1861~63년 초고), 제6분책.

II. 약호와 부호

〔 〕	마르크스가 표기한 꺾쇠괄호
[ ]	MEGA 편집자가 보충한 부분
|225|	원본 쪽수의 시작
|VII-273|	원본 노트의 시작
|	원본 쪽수의 마지막
/252/	편집과정에서 일부가 삭제되었거나 다른 원본으로 옮겨졌기 때문에 중간 부분에서 시작하는 쪽수를 가리킴
〈 〉	텍스트 축소(삭제)(한국어판에서는 "…라고 썼다가 나중에 지웠음" —옮긴이)
|: :|	텍스트 보충(첨부, 추가)(한국어판에서는 "새로 삽입한 것" —옮긴이)
>	텍스트 대체, 텍스트 위치 변경(한국어판에서는 ←를 써서 나타냈다. —옮긴이)
/	중단(한국어판에서는 "…라고 썼다가 곧바로 지웠음" —옮긴이)
xxxx	알아볼 수 없는 글자
]	편집과정에서 반복되는 부분의 표시(표제어)

원문자료에 대한 기록

제6노트부터 제10노트 444쪽까지

각 노트는 전지를 이분 혹은 사분한 종이들로 이루어져 있다. 이것은 서로 같거나 비슷한 재질의 종이들이 각기 크기가 다른 이유도 설명해준다. 이들 종이는 철끈으로 묶여 있는데 이 철끈은 구멍들의 간격이 불규칙한 제7노트에 아직 그대로 매달린 채 남아 있다. 바깥쪽 종이는 각 노트의 표지를 이루고 있다. 노트들의 보존 상태는 좋다. 몇몇 낱장은 가장자리가 닳아서 훼손되어 본문의 일부가 약간 유실된 것도 있다. 몇몇 낱장에서는 곰팡이와 잉크의 얼룩이 있고 겉표지들은 약간 때가 묻어 있다. 노트들은 1947~50년 동안에 복원되었다.

마르크스는 낱장들의 양면에 검정 잉크로 빽빽하게 기록해 넣었고 각 쪽은 평균 35~40행이 기록되어 있으며 가장자리의 여백은 거의 남아 있지 않다. 초고는 매우 작게 흘려 쓴 필체(독일어 필체와 라틴어 필체 — 외국어의 경우)로 쓰였기 때문에 읽기 매우 어렵다. 많은 단어가 약어로 표기되거나 일부가 생략된 채로 표기되었다(철자나 모음을 생략하거나 여러 철자를 합쳐버리는 방식으로). 정관사와 대명사인 der, die, das는 성별(남성, 여성, 중성. 독일어의 모든 명사는 성별이 있다. — 옮긴이)이 무엇이든, 격(독일어의 모든 명사는 문장 안에서 주격, 소유격, 목적격 등과 같은 일정한 격이 있다. — 옮긴이)이 무엇이든 모두 d.로 축약해서 쓰였다. 소유대명사 sein은 대개 무슨 성별과 격이든 모두 s.로 축약해서 쓰였다. 전치사 für, mit, von, vom 등은 f., m., v. 등으로 자주 쓰였다. 복자음인 mm, nn 등은 당시 흔히 표기하던 방식에 따라 $\overline{m}$, $\overline{n}$으로 표기되었다. 기호 ×(곱하기)는 '곱하기 …' 혹은 '곱'의 의미로 사용되었다. 인용문을 사용할 경우 마르크스는 종종 별도의 구분 없이 곧바로 이어서 자신의 설명이나 생각을 둥근 괄호에 묶어서 덧붙이곤 했다. 집필을 하면서 마르크스는 곧바로 수정을 하는 경우가 많았고 따라서 많은 단어와 문장이 수정으로 인해 줄이 그어져 있다. 마르크스는 또한 써 놓은 줄 위에 여러 번 보충을 하기도 했고 이렇게 보충된 부분들은 종종 노트의 가장자리로까지 이어져 있다.

초고는 대부분 초벌 집필로 이루어져 있다. 부속자료에서 텍스트 분석과 관련된 특별한 언급이 없는 한 마르크스가 수행한 텍스트 수정(각각의 변경사항)은 모두 집필과정에서 이루어진 것들이다.

마르크스는 이들 초고와 그 뒤를 이은 초고들을 통해 자신의 경제이론을 계속 완성해나가는 과정에서 초벌 집필을 여러 번 반복해서 살펴보았으며 잉크로 여러 차례 새로운 글을 삽입해 넣었다. 269, 270, 275, 447쪽(원본 노트의 쪽수를 가리킴 —옮긴이), 제7노트 및 제8노트의 앞표지, 제9노트의 앞표지 뒷면 등에 연필로 보충해 넣은 몇몇 부분은 모두 나중에 검토하는 과정에서 삽입된 부분임이 틀림없다. 231, 235, 240쪽에 연필로 수정한 부분도 역시 마르크스가 직접 삽입해 넣었을 것이다. 제6노트~제10노트에 들어 있는 무수히 많은 메모는 저자가 나중에 그것들을 이용했다는 사실을 보여주는 것이다. 잉크나 연필 혹은 빨간 연필로 가장자리에 여러 형태의 표식을 해둔 부분, 연필이나 빨간 연필로 밑줄을 그은 부분, 잉크나 연필로 다양한 길이의 본문들을 줄을 그어 삭제한 부분(이런 부분은 처리가 완료되었음을 나타내는 것으로 이해된다) 등이 모두 여기에 해당한다.

G10

초고에 다른 사람이 기록해 넣은 부분들이 많이 있다는 것을 확인할 수 있다. 수정을 한 부분들은 아마도 엥겔스가 한 것으로 보인다(223, 270, 278쪽). 개별 단어에 연필, 청색 펜, 빨간 연필 등으로 짧은 밑줄을 그은 부분이 많은데 이것들은 카우츠키가 『잉여가치론』의 편집 작업과정에서 한 것이 분명하다. 이런 표시는 주로 판독하기 어려운 단어들, 문체상 맞지 않는 부분, 글씨가 훼손된 부분, 조악한 표현 등에 있다. 이 짧은 밑줄은 제6노트, 그중에서도 특히 처음 10쪽에 집중적으로 몰려 있고 그 밖에는 제7, 8, 9, 10노트와 『잉여가치론』 노트에도 나타난다. 여기에서는 이들 부분을 일일이 기록하지 않고 단지 종합해서만 기록해두었다.

거의 모든 쪽에 걸쳐 다른 사람의 손에 의해 연필 혹은 석필로 NK라는 약자가 표기되어 있고 쪽마다 쪽수가 매겨져 있다. 이것은 초고가 독일 사민당 아카이브에 소장되어 있던 시기에 이루어진 일이다. 이들 낱장에는 모두 각 쪽의 번호 표기와 함께 IML/ZPA Moskau의 직인이 찍혀 있다.

제6노트

자필 원고 원본(Originalhandschrift). —IML/ZPA moskau, 정리 번호 f. 1, op. 1, d. 1582.

이 노트는 158×201mm의 크기로 28매(56쪽)의 낱장으로 이루어져 있다. 각 낱장은 줄이 그어지지 않은 연청색 종이로 군데군데 색이 바랬고 표지는 그보다 더 색이 바랬으며 매끄럽고 비교적 두꺼운 재질이다. 투시 무늬가 있는데 그 무늬는 약 25mm의 간격으로 그어진 평행선이며 각 종이는 2절지마다 "C HARRIS 1861"이라는 제지공장 상표가 찍혀 있다.

앞표지에는 **"경제학 비판을 위하여"**(Zur Kritik der politischen Oekonomie)라는 제목

과 노트 번호인 "VI"이 표기되어 있다. 그 밖에 잉크와 연필로 계산 흔적과 수식 등이 여러 개 기록되어 있다. 왼쪽 상단에는 다른 사람의 필체로 독일어 철자인 "d r n"이 기록되어 있다. 표지의 뒷면에는 **"5) 잉여가치론"**이라는 제목과 목차, 그리고 연필로 쓴 #라는 기호와 "Ms)"라는 철자가 기록되어 있다. 그다음 쪽에는 마르크스가 써넣은 쪽수가 220에서 272까지 이어져 있다. 뒤표지에는 쪽수가 표기되지 않았고 달리 아무것도 기록되어 있지 않다.

제7노트

자필 원고 원본. ― IML/ZPA moskau, 정리 번호 f. 1, op. 1, d. 1583.

이 노트는 163×201mm의 크기로 32매(64쪽)의 낱장으로 이루어져 있다. 각 낱장은 줄이 그어지지 않은 연청색과 연보라색의 종이로 군데군데 색이 바랬고 표지는 그보다 더 색이 바랬으며 매끄럽고 비교적 두꺼운 재질이다. 투시 무늬는 없다.

앞표지에는 **"경제학 비판을 위하여"**라는 제목과 노트 번호인 "VII"이 표기되어 있다. 그 밖에 잉크로 여러 개의 계산 흔적이 남아 있다. 표지의 뒷면에는 **"5) 잉여가치론"**이라는 제목과 목차(이에 대해서는 변경사항 목록도 참조), 나중에 마르크스가 연필로 써넣은 **"중상주의자 317"**이라는 메모가 남아 있다. 그다음 쪽에는 마르크스가 써넣은 쪽수가 273에서 331까지 이어져 있다. 쪽수를 기입하면서 마르크스는 아마도 283쪽 다음에 낱장 한 장(두 쪽 분량 ― 옮긴이)을 건너뛴 것 같다. 그는 나중에 이 건너뛴 낱장의 양면에 283a와 283b라고 쪽수를 써넣었다. 뒤표지에는 쪽수가 표기되지 않았고 달리 아무것도 기록되어 있지 않다.

G11

제8노트

자필 원고 원본. ― IML/ZPA moskau, 정리 번호 f. 1, op. 1, d. 1587.

이 노트는 서로 재질이 다른 24매(48쪽)의 낱장으로 이루어져 있다. 바깥쪽 8매의 낱장은 169×210mm의 크기로 되어 있다. 각 낱장은 줄이 그어지지 않은 연청색으로 군데군데 색이 바랬고 표지는 그보다 더 색이 바랬으며 매끄럽고 비교적 두꺼운 재질이다. 투시 무늬가 있는데 그 무늬는 약 25mm의 간격으로 그어진 평행선이며 각 종이는 2절지마다 "C HARRIS 1861"이라는 제지공장 상표가 찍혀 있다. 안쪽 4매의 낱장은 163×201mm의 크기이다. 각 낱장은 줄이 그어지지 않은 연청색과 연보라색의 종이로 군데군데 색이 바랬으며 매끄럽고 비교적 두꺼운 재질이고 투시 무늬는 없다.

앞표지에는 **"경제학 비판을 위하여"**라는 제목과 노트 번호인 "VIII"이 표기되어 있으며 나중에 마르크스가 연필로 써넣은 "**토런스**. 이 노트의 387쪽"이라는 표기가 남아 있다. (쪽수는 아마도 337을 가리키는 것으로 보인다. 왜냐하면 337쪽이 토런스에 관한 이야기를 담고 있으며 제8노트에는 387쪽이 없기 때문이다.) 표지의 뒷면에는 "**5) 잉여가치론**"이라는 제목과 목차가 기록되어 있다. 그다음 쪽에는 마르크스가 써넣은 쪽수가 332에서 376까지 이어져 있다. 337쪽에는 "지금(1862년 봄)"이라는 표기가 남아 있는데 이것은 이 노트가 만들어진 정확한 시점을 확실하게 알려주는 몇 개의 근거 가운데 하나이다. 375쪽에는 연필로 선을 그어 지우다가 낱장의 약 3분의 2가 찢겨 나간 흔적이 남아 있다(지금은 원래대로 붙어 있다). 뒷표지에는 쪽수가 표기되지 않았고 달리 아무것도 기록되어 있지 않다.

제9노트

자필 원고 원본. —IML/ZPA moskau, 정리 번호 f. 1, op. 1, d. 1593.

이 노트는 24매(48쪽)의 낱장으로 이루어져 있고 각 낱장의 크기는 161×206mm이다. 각 낱장은 줄이 그어지지 않은 연청색과 연보라색으로 군데군데 색이 바랬고 표지는 그보다 더 색이 바랬으며 매끄럽고 비교적 두꺼운 재질이다. 투시 무늬가 있는데 그 무늬는 약 25mm의 간격으로 그어진 평행선이다.

앞표지에는 "**경제학 비판을 위하여**"라는 제목과 노트 번호인 "IX"가 표기되어 있으며 마르크스가 잉크로 계산을 해놓은 흔적이 여럿 있다. 표지의 뒷면에는 "**5) 잉여가치론**"이라는 제목과 목차가 기록되어 있고 그와 함께 나중에 연필로 덧붙여 쓴 "**중상주의자**(408)"라는 표기가 있다. 그다음 쪽에는 마르크스가 써넣은 쪽수가 377에서 421까지 이어져 있다. 387쪽에는 아래쪽 가장자리에 두 개의 계산이 남아 있고 뒷표지에는 여러 개의 계산이 남아 있는데 이들 계산은 모두 마르크스가 직접 한 것들이다.

G12 제10노트

자필 원고 원본. —IML/ZPA moskau, 정리 번호 f. 1, op. 1, d. 1596.

이 노트는 36매(72쪽)의 낱장으로 이루어져 있고 각 낱장의 크기는 161×206mm이다. 각 낱장은 줄이 그어지지 않은 연청색과 연보라색으로 군데군데 색이 바랬고 표지는 그보다 더 색이 바랬으며 매끄럽고 비교적 두꺼운 재질이다. 투시 무늬가 있는데 그 무늬는 약 25mm의 간격으로 그어진 평행선이다.

앞표지에는 "**경제학 비판을 위하여**"라는 제목과 노트 번호인 "X"이 표기되어 있다. 표지의 뒷면에는 "**5) 잉여가치론**"이라는 제목과 목차가 기록되어 있다. 그다음 32개

쪽에는 마르크스가 써넣은 쪽수가 1에서 32까지 이어져 있었다. 마르크스는 나중에 이 노트를 제10노트로 초고에 편입하기로 결정했고 그에 따라 쪽수도 바꾸었다. 제10노트의 쪽수는 422부터 489까지 이어져 있다. 뒷표지에는 쪽수가 표기되지 않았고 달리 아무것도 기록되어 있지 않다.

변경사항 목록/교정사항 목록/해설

(내용상 특히 중요한 변경사항은 주 번호 왼쪽에 ˙로 표시했다. —MEGA 편집자)

초고 목차

˙1 (v) "c) A. 스미스. (계속)
(이윤과 임금 … 연간 생산된 총상품*을 … 구매할 수 있는지에 대한 연구.)"
← "c) A. 스미스. (결론)
d) 네케르.
e) 리카도."
* "연간 생산된 총상품"의 표현을 "die jährlichen Waaren" ← "jährlich W"

2 (k) "포함하는"(enthalten) — 자필 원고에는 "erhalten"으로 되어 있음.

˙3 (v) 여기에 "d) 네케르, e) 리카도"라고 썼다가 나중에 지웠음. 아마도 마르크스가 노트를 완성한 후에 지운 것으로 보인다.

˙4 (v) 여기에 "리카도"라고 썼다가 나중에 지웠음.

˙5 (v) 여기에 "리카도"라고 썼다가 나중에 지웠음.

5) 잉여가치론

1 (e) 마르크스가 제5노트 184쪽(MEGA② II/3.1, 285쪽)에 써놓은 것에 따르면 "상대적 잉여가치 다음에는 … 절대적 잉여가치와 상대적 잉여가치의 결합형태를 고찰해야만 한다". 거기에 따르면 "절대적 잉여가치와 상대적 잉여가치의 결합형태"는 "제I편 자본의 생산과정"의 제4항이 될 것이었다. 마르크스는 제5노트의 211쪽에서 집필을 중단하고 제4항을 건너뛴 다음 제6노트의 시작 부분에서 "제5항 잉여가치론"으로 넘어갔다. 그는 여기에서 그가 이미 『경제학 비판을 위하여』 제1권(베를린, 1859)에서 했던 이론적 서술과 마찬가지 방식으로, 제1항부터 제4항까지 이론의 역사를 다룰 생각이었다.

2 (v) "특수한 형태" ← "형태"

3 (e) 마르크스가 여기에서 말하는 제3장은 그가 "제3장. 자본 일반"의 연구에서 세 번째 부분으로 예정했던 것이다. 1861년 마르크스의 "제3장에 대한 집필계획 초안"에서 이 부분은 "III. 자본과 이윤"으로 표기되어 있다. 1861~63년 초고에는 제16노트와 제17노트의 974~1028쪽(MEGA② II/3.5)에서 이 연구의 시작 부분만 포함되어 있다.

4 (v) "새로운 부의 창출" ← "부의 새로운 창출"

5 (e) 여기부터 G337쪽 9행(본문 52쪽 15행 — 옮긴이)까지의 인용은 제7노트(런던, 1859~62년), 183쪽에서 발췌된 것인데 여기에는 잘못 표기된 출판 연도인 1801년도 포

함되어 있다.

6 (e) "그것은 노동과 근면 … **사회적 부를 증가시키는 것은 아니라는** 것을 의미한다"에서 강조는 마르크스가 한 것.

7 (k) "1805" — 자필 원고에는 "1801"로 되어 있음.

8 (v) "발전" — 새로 삽입된 것.

9 (v) 여기에 "이윤에 대해서는"이라고 썼다가 곧바로 지웠음.

10 (v) "이어지는" ← "나중에"

11 (e) "현실가치"(the *real value*) — 스튜어트의 원문에는 "to wit, the real value"로 되어 있음.

12 (e) "상품의 **가격** 속에는 … **양도이윤**이 바로 그것이다." —강조는 마르크스가 한 것.

13 (v) "**현실**"(*wirklichen*) ← "올[바른]"(ri[chtigen])

14 (e) 이 문단에서의 인용문은 제7노트(런던, 1859~62년), 183쪽에서 발췌한 것. 스튜어트의 원문은 다음과 같음.

"I. 판매되어야 할 시점에 모든 공산품들에서 첫째로 알아야 할 점은 그 작업의 성질에 따라 그것을 완성하는 데 필요한 시간이 어느 정도인지, 그래서 한 사람이 하루, 일주일, 한 달 동안에 몇 개의 제품을 생산할 수 있느냐 하는 것이다. 이를 산정할 때 주의해야 할 것은 그 나라의 노동자가 소비하는 시간이 … 오로지 평균적인 것이라야 한다는 점이다. … II. 둘째로 알아야 할 점은 노동자의 생존과 그 밖에 필요한 비용, 즉 노동자의 개인적 욕망을 충족하는 데 들어가는 비용과 직업적으로 필요한 도구들에 지출되는 비용인데, 이들은 위에서 말한 바와 같은 평균치여야 한다. … III. 셋째이자 마지막으로 알아야 할 점은 원료의 가치 … 이다."

15 (e) 제임스 스튜어트는 그의 저작 『경제학 원리 연구』(제1~3권, 더블린, 1770년)에서 특별히 농업의 발전에 의해 공업부문에 고용될 수 있도록 자유로워진 노동력을 "자유로운 인력"이라고 불렀다. 그는 제5장에서 이 표현을 도입했는데 거기에서 다음과 같은 결론을 내린다. "I. 농업에 종사하는 근면한 성향의 자유로운 사람들이 비옥한 토지와 결합하여 빚어내는 한 가지 결과는 식량 생산이 농민들이 필요로 하는 수준을 넘어서는 과잉 상태가 된다는 점이다. 인구는 늘어날 것이다. 그리고 인구의 증가에 따라 전체 인구 가운데 일정한 숫자는 생산된 식량의 과잉 상태에 비례하여 공업이나 다른 용도에 종사하게 될 것이다.

II. 근면이 만들어내는 이런 작용 때문에 사람들은 두 계급으로 나누어진다. 하나는 농민들로서 이들은 생활용품을 생산하고 반드시 이 생산부문에 고용되어 있어야 한다. 다른 한 계급은 내가 **자유로운 인력**이라고 부르는 사람들이다. 이들의 직업은 농민들이 생산한 식량의 잉여로부터 자신들의 생활용품을 조달하고, 사회의 필요에 따른 노동을 제공하는 것으로, 이들의 직업은 사회적 필요에 따라, 그리고 이 필요 또한 시대정신에 따라 매우 다양한 종류를 이룬다."(앞의 책, 제1권, 제1편, 30/31쪽) 1851년 마르크스는 그의 런던 「발췌 노트」 제8권에서 스튜어트의 저작을 상세히 인용했다. 노트 12쪽에서 그는 위의 인용문을 다음과 같이 요약했다. "전체 인구 가운데 식량 생산에 고용될 필요가 없는 인구를 스튜어트는 **자유로운 인력**이라고 불렀는데 이는 이들의 직업이 농민들이 생산한 식량의 잉여로부터 자신들의 생활용품을 조달하고, 사회의 필요에 따른 노동을 제공하는 것으로, 이들의 직업은 사회적 필요에 따라, 그리고 이 필요 또한 시대정신에 따라 매우 다양한 종류를 이루기 때문이다."(31쪽) — 스튜어트는 그의 저작 다른 곳에서도 "자유로운 인력"에 대하여 언급하는데, 예를 들면 제1권의 48, 151, 153, 396쪽 등에서이다. 396쪽의 해당 구절은 마르크스가 『경제학 비판 요강』(제7노트, 런던, 1859~62년) 26쪽에서 다시 인용하기도 했다.

16 (e) 이 인용문에서 강조는 마르크스가 한 것.

17 (v) 여기에 "판[매]로부터"라고 썼다가 곧바루 지웠음.
18 (v) "비판했다" ← "부정[했다]"
19 (v) **로 나타낸 각주는 연필과 잉크로 곳곳이 겹쳐지게 쓰였다. 이런 각주의 표기형태로 미루어 볼 때, 그리고 이 각주가 한 면 가득히 쓰인 221쪽의 왼쪽 가장자리에 세로로 쓰인 점으로 미루어 볼 때 이 각주는 나중에 새로 써넣은 것으로 보인다.
20 (e) 연도들은 모두 초판 발행 연도를 가리키는데 마르크스는 이들 초판으로 작업하지 않았다. 제임스 스튜어트, 『경제학 원리 연구』, 전 2권, 런던, 1767년. 안 로베르 자크 튀르고, 『부의 형성과 분배에 관한 고찰』, 파리, 1766년. 1766년은 튀르고가 그의 핵심 저작을 집필한 해이다. 마르크스는 당시 출전에 따라 이 연도를 출판 연도로 사용했다. 이 저작은 1769~70년 피에르 사뮈엘 뒤퐁 드 느무르가 처음으로 출판했다. 애덤 스미스, 『국부의 성질과 원인에 관한 연구』(이하 『국부론』—옮긴이), 전 2권, 런던, 1776년. 마르크스가 사용한 것은 제르맹 가르니에가 번역한 프랑스어판(애덤 스미스, 『국부론』, 파리, 1802년)으로 이 책은 그가 직접 소장한 것이기도 한데, 그 책의 1쪽에는 스미스의 "제3판에 대한 일러두기": "이 저서의 초판은 1775년과 1776년 초에 인쇄되었다"라고 되어 있다.

b) 중농주의

1 (k) "나타나는"(erscheinen,) — 자필 원고에는 erscheinen 다음의 쉼표가 쌍반점(;)으로 되어 있음.
2 (k) "생산형태" — 자필 원고에는 "동일한 생산형태"로 되어 있음. 빠뜨리고 지우지 못한 듯함.
3 (v) "관련" ← "동일성"
4 (v) "분석했다" ← "제시했다"
5 (e) 마르크스가 "유통에 관한 장"이라고 부르는 것은 "제3장 자본 일반" 연구의 두 번째 부분을 가리킨다. 마르크스의 1861년 "제3장 초안"에서 이 부분은 "II. 자본의 유통과정"으로 표기되어 있다. 마르크스는 이 부분의 작업으로 먼저 케네의 경제표에 대한 몇 개의 초안들을 만들었는데(G624~G656쪽을 보라) 이들 초안이 담긴 노트는 나중에 1861~63년 초고의 제10노트가 되었다. 그는 제23노트의 1433/1434쪽에서 이 초안들을 보충했다. 하지만 "유통에 관한 장"은 이 초고에서 집필되지 않았다. 그것에 대한 집필은 1863~65년 초고에서야 비로소 이루어졌다.
6 (e) MEGA② II/3.1, 41/42쪽.
7 (v) "자본을 통해 고정되고 노동자들과 독립해서" ← "자본가 스스로 고정되고 독립적으로 노동자들에 대[립하여]"
8 (v) "필요한" ← "가능한"
9 (v) "추상적" — 새로 삽입된 것.
10 (v) "환원하지" ← "실현하지", 엥겔스가 수정한 것으로 보임.
11 (v) "일정한" — 새로 삽입된 것.
12 (v) "생활수단의 총액" ← "생활수단"
13 (v) "직접" — 새로 삽입된 것.
14 (v) "원료" ← "생산[물]"
15 (v) "이기"의 "ist"를 두 번 썼다가 하나를 곧바로 지웠음.
16 (v) "일정 부분 토지소유자의 수중에서 다른 계급의 수중으로" ← "일정 부분 다른 계급에게"
17 (v) 여기에 "**원래의**"라고 썼다가 나중에 지웠음.

18 (k) "잉여가치의 원래의 일반적 형태로," — 자필 원고에는 이 구절 다음에 쉼표가 없음.
19 (k) 자필 원고에는 "이윤" 다음에 독일어 구조상 필요한 쉼표가 없음.
20 (k) "배분해 준"(distribuirt) ← "von ihm distribuirt". 자필 원고에는 "그가"라는 말이 덧붙어 있었는데 빠뜨리고 지우지 못한 듯함.
21 (v) 여기에 "**둘째**"라고 썼다가 곧바로 지웠음.
22 (e) 아른트는 토지지대에 관한 애덤 스미스의 견해를 분석하여 다음과 같은 글을 정리해서 남겼는데 마르크스는 이 글을 인용한 것이다. "저자는 여기에서 자신이 지대에 관하여 서술한 제11장의 전체 내용을 어떻게 깡그리 잊어버릴 수 있었을까? 저자는 자신의 서술에서 너무나도 명백하게 다음과 같은 사실을 논증한 바 있다. 즉 농업에서는 공업이나 상업에서는 볼 수 없는 가치(지대의 형태로)를 창출하는데 이 가치는 지출된 모든 임금과 소비된 자본지대를 모두 보전하고도 남는 부분이다."
23 (v) 여기에 "농업부문으로부터"라고 썼다가 곧바로 지웠음.
24 (k) "노동자들"(Arbeiter) — 자필 원고에는 "Arbeitermasse"로 되어 있음.
25 (k) "수"(die Masse) — 자필 원고에는 "die v. d. Masse"로 되어 있음.
26 (k) "159, 160" — 자필 원고에는 "164"로 되어 있음.
27 (e) 이 인용문은 쪽수가 "164쪽"으로 잘못 표기되어 있는 「인용문 노트」 5쪽에서 옮겨 쓴 것이다. 쪽수의 오기는 「발췌 노트」 제9권(런던, 1850~53년) 80쪽에서 「인용문 노트」로 인용문을 옮기는 과정에서 일어난 것으로 보이며 이 「발췌 노트」에는 존스의 저작이 상세하게 요약되어 있긴 하지만 쪽수는 종합적인 형태로만 표기되어 있다.
28 (e) MEGA② II/3.1, 168~171쪽.
29 (v) "뿐이라면"이라는 말이 "Ist"(직설법)로 되어 있었으나 "Wäre"(가정법)로 수정됨.
30 (v) "**자연의 생산력으로**" ← "**자연의 생산력**에 의존하는 것으로"
31 (e) 데이비드 뷰캐넌, 『스미스의 『국부론』이 다루고 있는 주제에 대한 고찰』, 에든버러, 1814년, 137~146쪽('국부의 증진' 편).
32 (v) "(중농주의에 … 입증하려 했다)" — 새로 삽입된 것.
33 (k) "이들"(sie) — 자필 원고에는 "es"로 되어 있음.
34 (v) "자본이 발전해나가는" ← "자본의"
35 (v) "변덕스러운 가부장주의자인" — 새로 삽입된 것.
36 (k) "새로운 자본주의 사회를 표현하게"(stellt … neue Gesellschaft dar) — 자필 원고에는 "stellt … neue Gesellschaft sich dar"로 되어 있음. "sich"를 빠뜨리고 지우지 못한 듯함.
37 (v) "일반적인 사회적 노동" ← "일반적 노동"
38 (e) 이 초고에서 마르크스는 "profit upon alienation"과 "profit upon expropriation"을 동일한 의미(양도이윤 — 옮긴이)로 사용했다. 스튜어트는 "profit upon expropriation"이라는 말을 사용하지 않았다.
39 (k) "자연의"(der Natur,) — 자필 원고에는 쉼표가 빠져 있음.
40 (v) 여기에 "총액"이라고 썼다가 곧바로 지웠음.
41 (k) "받는"(erhält;) — 자필 원고에는 쌍반점(;) 대신 쌍점(:)으로 되어 있음.
42 (v) 여기에 "더 많은 무[기물의]"라고 썼다가 곧바로 지웠음.
43 (v) "증식한 가치" — 새로 삽입된 것.
44 (v) "물적" — 새로 삽입된 것.
45 (v) 여기에 "잉여가치를"이라고 썼다가 곧바로 지웠음.
46 (k) "중농주의는"(ihm) — 자필 원고에는 "es"로 되어 있음.
47 (v) "와 잉[여가치로]"라고 썼다가 곧바로 지웠음.
48 (v) "지대" ← "토지소[유]"

49 (v) 여기에 "소극적으로"(negativ)라고 썼다가 곧바로 지웠음. 또한 "소극적으로"라는 말 다음에 d로 시작하는 단어가 이어져 있었으나 이 말은 알아볼 수 없었음.

50 (k) "이"(dieser) — 자필 원고에는 "diesen"으로 되어 있음.

51 (k) "경제적으로"(ökonomische) — 자필 원고에는 "ökonomischer"로 되어 있음.

52 (v) "부분적으로" — 새로 삽입된 것.

53 (v) "근대" ← "정[치]"

54 (e) 리카도 경제학의 이 결론과 그로부터 급진적인 리카도주의자들이 도출해낸 실천적 결론들에 대해서 마르크스는 이 초고에서 여러 번에 걸쳐 다루고 있다. 제10노트 458쪽, 제11노트 496/497쪽, 516/517쪽(MEGA② II/3.3), 제15노트 902/903쪽(MEGA② II/3.4) 등이 바로 그것이다. 마르크스, 『철학의 빈곤』, 파리, 브뤼셀, 1847년, 161/162쪽과 마르크스가 1881년 6월 20일 프리드리히 아돌프 조르게에게 보낸 편지를 보라.

55 (e) 중농주의자들의 구호 "laissez faire, laissez aller"("laissez faire, laissez passer라고도 함) (모두 자유방임을 의미함 — 옮긴이)는 완전히 자유로운 경제의 발전을 요구하는 일반적 표현이 되었다. 이 사상은 내용적으로 이미 프랑스 경제학자 피에르 르 프장 드 부아기유베르에게서 나타났다. 중농주의자들은 자신들의 이런 자유주의적 요구를 정당화하기 위해 경제생활이 자연법칙에 의해 지배당하고 있으며 따라서 제한적인 규정을 통해 국가가 경제에 개입하는 것은 아무런 쓸모도 없고 심지어 해악을 끼칠 뿐이라고 주장했다. 이런 이론적 관점은 발전해나가는 자본주의의 이해와 일치했다.

56 (v) "원칙" ← "명제"

57 (v) "수행해야만 했던" ← "수행했던"

58 (e) 여기부터 인용문의 출처까지는 제7노트(런던, 1859~62년), 171쪽에서 옮겨 쓴 것이다. 1861~63년 초고의 집필을 준비하면서 마르크스는 1859/1860년경에 앞에서 언급한 케네의 저작에서 4개의 짧은 발췌문을 다시 만들었다.

59 (k) "매매하는"(Handel) — 자필 원고에는 "handelt"로 되어 있음.

60 (e) 1861~63년 초고의 집필을 준비하면서 마르크스는 1859/1860년경에 제7노트(런던, 1859~62년), 168~171쪽에서 튀르고의 저작을 상세히 발췌했다. 이 「발췌 노트」 169쪽에서도 마르크스는 이 작업의 준비과정을 다음과 같이 언급하고 있다. "(이 책의 뒷부분 **튀르고** 부분을 보라. 튀르고가 **화폐**를 다루는 그의 저작 22~32쪽. 정확하게 해당되는 부분이다.)" 제7노트에서 마르크스는 23~32쪽으로부터는 아무런 발췌문도 만들지 않았다. 튀르고의 저작에서 옮겨 쓴 것들은 제7노트(런던, 1859~62년), 168~171쪽에 부분적으로 반복되어 있고 마르크스는 이들 발췌문을 「인용문 노트」에서 주제별로 묶어두었다. 예를 들면 "잉여가치. 중농주의 이론. 튀르고.(제7노트, 168쪽 이하)", 「인용문 노트」 61쪽, "평균임금", 「인용문 노트」 59쪽, "중농주의자들에게 자본", 「인용문 노트」 65쪽.

G348쪽 34행~G353쪽 17행(본문 64쪽 넷째 문단~69쪽 넷째 문단 — 옮긴이)에서 인용된 튀르고의 저작은 마르크스가 일부는 원어로 일부는 독일어로 옮기기도 했지만 모두가 제7노트(런던, 1859~62년), 168~171쪽에서 발췌한 내용들이며 이 초고에 곧바로 옮겨 썼거나 참고로 베낀 것들이다.

61 (v) 다음에 "지불되지 않은 가[치 부분]"이라고 썼다가 곧바로 지웠음.

62 (k) "포함하기"(enthält) — 자필 원고에는 "erhält"로 되어 있음.

63 (e) 이 인용문에서 강조는 모두 마르크스가 한 것.

64 (v) 다음에 "판매할 수 있는"이라고 썼다가 곧바로 지웠음.

65 (v) "그러나 둘째, **노동의 임금**을 초과하는 이 잉여 부분은 자연의 순선물로 간주된다." ← "그러나 둘째, 이 가치는 자연의 순선물로 간주된다. 이는 곧 **노동의 임금**을 초과하는 이 잉여 부분, 다시 말해 노동자가 … 모두 자연의 선물이라는 의미이다."

66 (v) 다음에 "…의 속성"이라고 썼다가 곧바로 지웠음.

67 (v) "총생산물" ← "생산물"

68 (v) "임노동자" ← "노동[자]"

69 (v) 다음에 "무엇보다도"라고 썼다가 곧바로 지웠음.

70 (e) 이 문단의 모든 인용문은 제7노트(런던, 1859~62년), 169쪽에서 옮겨 쓴 것(중간에 마르크스가 삽입한 괄호 부분은 제외).

71 (e) "**타인을 위하여 노동할**" — 강조는 마르크스가 한 것.

72 (e) "**자신의 노동을 … 교환하는**" — 강조는 마르크스가 한 것.

73 (k) "생활하는"(vivent) — 자필 원고에는 "ne vivent"로 되어 있음. 빠뜨리고 지우지 못한 듯함. 원본에는 연필로 괄호를 쳐두었는데 다른 사람이 그렇게 한 듯함.

74 (e) "**토지소유는 경작노동과 분리되어야 했고 또 머지않아 그렇게 되었다.**" — 강조는 마르크스가 한 것.

75 (e) "토지소유자는 … 경작노동을 넘기게 되었다." — 이 인용문은 튀르고의 저작 제11절의 제목과 관련된 핵심 부분을 이룬다.

76 (v) 여기에 "이처럼 아무것도 없는 임노동자에게"라고 썼다가 곧바로 지웠음.

77 (v) 여기에 "자신의 노동[력]"(sein Arbeits[vermögen])이라고 썼다가 곧바로 지웠음.

78 (v) "소유자"(Eigenthümer) ← "소지[자]"(Besit[zer])

79 (v) "법칙이 된다" ← "법칙이다"

80 (v) 여기에 "모든 … 부문에서"라고 썼다가 곧바로 지웠음.

81 (e) "**토지경작자에게 제공되는 순수한 선물**" — 강조는 마르크스가 한 것.

82 (e) "**토지경작자**는 **자신의 임금**을 생산하며 … **모든 것을 얻는다.**" — 강조는 마르크스가 한 것.

83 (k) "15" — 자필 원고에는 "15, 16"으로 되어 있음.

84 (k) "경작자의"(dessen) — 자필 원고에는 "deren"으로 되어 있음.

85 (e) "방식" — 튀르고의 원문에는 "이 마지막 방식"으로 되어 있음.

86 (v) "노동자와 다른 모든 부문의 공업생산자" ← "다른 모든 노동자"

87 (v) "이" — 새로 삽입된 것.

88 (k) ""피혁"("cuirs) — 자필 원고에는 따옴표(")가 빠져 있음.

89 (e) "최초의 선대 재원을 토지는 이미 경작이 이루어지기 전에 제공했다." — 튀르고의 원문에는 "경작이 이루어지기 전에 이미 최초의 선대 재원을 제공한 것도 토지였다"라고 되어 있음.

90 (e) 이 인용문에서 강조는 모두 마르크스가 한 것.

91 (v) 여기에 "처음에는"이라고 썼다가 곧바로 지웠음.

92 (k) "39" — 자필 원고에는 "38, 39"로 되어 있음.

93 (v) "구분된다"(subdivisée) ← "나누어진다"(zerfällt)

94 (e) "**잉여분**" — 강조는 마르크스가 한 것.

95 (v) 다음에 "혹은 농업노동의 잉여가치"라고 썼다가 곧바로 지웠음.

96 (v) "축적하는" ← "절약하는"

97 (e) 루이 14세 치하에서 재무장관을 지낸 콜베르의 경제정책(국가의 강제규정들과 결합된)은 절대국가의 이해를 대변하는 것이었고 객관적으로 자본의 본원적 축적을 지향하는 것이기도 했다. 콜베르가 그런 경제정책으로 수행한 것들은 조세제도의 개혁, 식민지 지역에 대한 독점 무역회사의 설립을 통한 대외무역의 촉진, 관세체계의 개혁을 통한 국내 상업의 활성화, 국영 매뉴팩처의 설립과 도로·항만의 건설 등이었다. 자본주의의 계속적 발전이 요구하는 경제정책들은 중농주의가 중상주의에 대항하는 이론적 투쟁의 토대를

제공했다. 1720년 프랑스 경제 전체를 뒤흔든 로 체제의 붕괴 혹은 "추락"(마르크스)은 중농주의 이론의 발전에 도움을 주었다. 스코틀랜드 사람 존 로는 1718년 신용과 금융 영역을 매개로 국가의 부를 늘리고 경제에 대한 국가의 영향력을 증가시키려고 노력했다. 그는 국가 채무를 청산할 목적으로 태환 능력이 없는 지폐를 남발하고 대규모의 주식 투기를 불러일으켰는데 그것은 최초의 대규모 인플레이션과 로가 이끌던 은행과 주식회사(모두 국가와 밀접하게 결합된)의 파산을 가져왔고 따라서 로 체제의 붕괴로 이어졌다. 로가 사용한 수단들은 나중에 자본주의가 발전한 시기에 광범위한 규모로 실행된 것이었으나, 중농주의에서 시작하여 리카도에 이르기까지 고전경제학 전체로부터 그것의 합리적 핵심 — 신용의 도움을 받아 생산을 발전시킬 수 있는 가능성 — 까지도 모두 비판을 받았다.

은행이 도산하는 기간 동안 토지소유는 가장 안정된 재산이라는 것을 보여주었다. 로 체제의 붕괴와 함께 토지소유의 활발한 매매가 일어났다. 이런 점도 중농주의자들로 하여금 농업에 주목하도록 만들었다. 그리하여 한창 성장하고 있던 프랑스 부르주아 계급의 콜베르주의와 로 체제에 대한 부정적 인식과 물적 생산 영역으로 돌려진 경제사상의 객관적 요구에 의해 중농주의의 사상적 자산이 형성되었다.

98 (k) "『사회를 행복하게 만드는 올바른 방법』" — 자필 원고에는 "『농업에 대한 고찰』"로 되어 있음.

99 (e) G363쪽 1~26행을 보라.

100 (k) "토지생산물과 같이" — 자필 원고에는 이 구절을 인용문에 포함시켜놓았음.

101 (e) 이 문단의 인용문은 모두 제7노트(런던, 1859~62년), 98쪽에서 옮겨 쓴 것. 거기에서도 이미 페르디난도 파올레티의 책 제목이 혼동되어 있다(G353쪽 32행의 교정사항〔위의 주 98 — 옮긴이〕을 보라). 이러한 혼동은 『이탈리아 경제학 고전 전집』 제20권이 파올레티의 저작 두 권을 모두 포함하기 때문에 일어난 것으로 보인다. 인용문에서 강조는 모두 마르크스가 한 것.

102 (e) 애덤 스미스, 『국부론』. 데이비드 리카도, 『경제학과 과세의 원리』, 제2판, 런던, 1819년, 61쪽에서 인용. 이 문단과 다음 문단은 제7노트(런던, 1859~62년), 209쪽에서 옮겨 쓴 것.

103 (v) "〔즉 토지소유자〕" — 새로 삽입된 것.

104 (v) "1821" ← "1829", 아마도 다른 사람이 고친 것으로 보임.

105 (e) 이 인용문은 제7노트(런던, 1859~62년), 133쪽에서 옮겨 쓴 것.

106 (e) "**노동에 대한 보수를 이루는 것보다 더 많은 것**" — 강조는 마르크스가 한 것.

107 (e) 이 인용문은 제7노트(런던, 1859~62년), 168쪽에서 옮겨 쓴 것. 「인용문 노트」, 61쪽에 있음.

108 (e) "**소득으로 간주될 수 없고 단지 경작비의 보전으로만 간주할 수 있다.**" — 강조는 마르크스가 한 것.

109 (e) 이 문단의 인용문은 제7노트(런던, 1859~62년), 169, 170쪽에서 옮겨 쓴 것. 40쪽의 인용문은 「인용문 노트」, 65쪽에 있다.

110 (e) "벨기에 아돌프 발렌 합동 인쇄회사"는 1839년과 1843년 다수의 경제학 저작 전집을 『경제학 강의』라는 제목으로 출판했다. 제롬 아돌프 블랑키의 『유럽 경제학의 역사』는 이들 두 판본에 모두 수록되었다. 마르크스가 사용한 책은 1843년판으로, 이 책은 그가 직접 소장한 것이기도 했고, 뒤에 나오는 펠레그리노 루이기 에도아르도 로시의 인용도 이 책에 의존했다. 이 책에는 아마도 1839년판의 표제지도 함께 붙어 있었던 것으로 보인다. 여기에서 마르크스가 출처로 인용한 연도는 이 점과 관계가 있을 것이다.

111 (e) "**가치의 잉여분**" — 강조는 마르크스가 한 것.

112 (e) "경제학자들"(économistes)이란 단어는 원래 중농주의자들을 가리킨다. 19세기 중반

경에 이 단어는 이미 일반적인 의미를 획득하여 특정 경제이론을 지칭하는 것이 아니게 되었다. "중농주의자"라는 명칭은 프랑수아 케네와 그의 추종자인 사뮈엘 뒤퐁 드 느무르가 그들의 사회적·경제적 인식에 대하여 스스로 부여한 것이다.

113 (e) "(즉 **저축하지**)" — 초고에는 밑줄을 이중으로 그어 강조하고 있지만 블랑키의 원문에는 일반적인 강조 표시만 있음.

114 (e) "**노동자든 소유자든 이들이 원래 소비하도록 되어 있던 부분 가운데 일부를 남기지**(즉 **저축하지**) **않는 한**" — 강조는 마르크스가 한 것.

115 (e) "**비생산적인 것**" — 초고에는 밑줄을 이중으로 그어 강조하고 있지만 블랑키의 원문에는 일반적인 강조 표시만 있음.

116 (e) "**왜냐하면 이들 노동은 사회적 자본에 어떤 증가도 가져오지 않기 때문이었다.**" — 강조는 마르크스가 한 것.

117 (v) "새로운" — 새로 삽입된 것.

118 (k) "부의"(de richesses) — 자필 원고에는 "des richesses"라고 되어 있음.

119 (e) 이 인용문에서 강조는 모두 마르크스가 한 것.

120 (e) 애덤 스미스 저작의 프랑스어 번역본 제5권에는 번역자(가르니에)의 주석이 있는데 마르크스는 이 부분과 이후에서 이 주석을 인용하고 있다. 애덤 스미스, 『국부론』, 제5권, 파리, 1802년.

121 (e) 이 인용문에서 강조는 모두 마르크스가 한 것.

122 (v) "가장 잘" ← "보다 잘"

123 (e) "(제2편, 제3장)" — 가르니에의 원문에는 "(제2편, 제3장, 326쪽)"으로 되어 있음.

124 (e) "가치들" — 블랑키의 원문에는 "산업적 가치"로 되어 있음.

125 (e) 여기부터 "… **세분화되었기** 때문이다"까지 강조는 모두 마르크스가 한 것.

126 (k) "21" — 자필 원고에는 "16~21"로 되어 있음.

127 (e) 이 인용문은 제7노트(런던, 1859~62년), 169쪽에서 옮겨 쓴 것. 여기에는 정확하지 않은 쪽수 표기 16~21쪽이 있고 이들 쪽에는 다수의 인용문이 관련되어 있다.

128 (e) "노동자들"(ouvriers) — 메르시에 드 라 리비에르의 원문에는 "fabricants"로 되어 있음.

129 (e) "손으로"(par la main) — 메르시에 드 라 리비에르의 원문에는 "par les mains"으로 되어 있음.

130 (e) 이 인용문에서 강조는 마르크스가 한 것.

131 (e) "권력은 유일한 것이어야 한다"(Que l'autorité soit unique) — 케네의 원문에는 "*Que l'autorité souveraine soit unique*"로 되어 있음.

132 (e) "인간은 이미 사회 속에서 살도록 되어 있기 때문에 전제군주제 아래에서 살도록 되어 있다."(… l'homme est destiné à vivre en société, il est destiné à vivre sous le despotisme.) — 메르시에 드 라 리비에르의 원문에는 "… l'homme, en cela qu'il est destiné à vivre en société, est destiné à vivre sous le despotisme"로 되어 있음.

133 (k) "281" — 자필 원고에는 "280"으로 되어 있음.

134 (e) 그리스 철학자 에피쿠로스의 견해에 따르면 신들은 세상의 틈새인 중간계에 존재한다. 그들은 세상 만물의 발전은 물론 인간 생활에도 아무런 영향을 끼치지 않는다.

135 (v) "조세이론" ← "조세원리"

136 (e) 중농주의 견해가 가장 발전된 형태를 띠는(G348쪽 26행〔본문 64쪽 둘째 문단 — 옮긴이〕을 보라) 튀르고는 그가 재상직 — 이 직위는 사실상 국내의 모든 현안에 대한 관리를 포함하고 있었다 — 을 수행하던 짧은 기간 동안(1774년 9월~1776년 5월) 급진적 개혁(마르크스는 G361쪽 37행~G362쪽 2행〔본문 78쪽 마지막 문단 — 옮긴이〕에서 튀르

고에 대한 후기를 써서 이들 개혁에 대해 설명하고 있다)을 통해 이미 1776년에 혁명적 봉기를 예방하려 했다. 그의 실각과 함께 그의 개혁도(객관적으로 시기가 성숙해 있었지만) 중단되었다. 그런 의미에서 튀르고의 실패는 1789년의 프랑스 혁명을 가져온 원인이 되었다.

137 (v) 여기에 "최초의"라고 썼다가 나중에 지웠음.

138 (e) 백과전서파는 1751년부터 1772년까지 28권으로 출판된 프랑스의 『백과전서 혹은 학문, 예술 공예의 논리적 사전』을 만든 사람들을 가리킨다. 프랑스 계몽주의의 중요한 대표자들이 이 학파에 속한다. 『백과전서』의 성립에 중요한 기여를 한 사람으로는 이 작업을 전체적으로 주도한 디드로와 전체 저작을 소개하는 「서론」을 집필한 달랑베르를 들 수 있다. 개별 집필자들 가운데 특히 두드러지게 중요한 사람들을 꼽는다면 다음과 같다. 돌바크, 엘베시우스, 라메트리 등은 새로운 사상에서 가장 급진적인 견해를 대표한다. 몽테스키외와 볼테르 그리고 뷔퐁은 자연과학 항목의 집필에 참여했고 콩디야크는 철학 항목들을 집필했다. 케네와 튀르고는 많은 항목들에서 중농주의 이론의 핵심 문제들을 서술했다. 루소는 "경제학" 항목을 집필했다. 백과전서파의 저작은 하나하나의 항목들에서는 극히 다양한 견해들을 대표하지만 객관적으로 프랑스 혁명의 이데올로기적 전제들을 만드는 데 중요한 기여를 했다.

백과전서파와 중농주의자들의 협력은 본질적으로 이들 두 흐름이 부르주아 사상의 자산을 확산시키고 그럼으로써 객관적으로 부르주아 사회로의 길을 닦았다는 의미를 지닌다.

139 (e) G338쪽 17~22행에 관한 해설(위의 주 5 — 옮긴이)을 보라.

140 (v) "(중농주의자들에 의하면)" — 새로 삽입된 것.

141 (v) "특정한" — 새로 삽입된 것.

142 (v) 초고에는 이 긴 줄 아래에 "c) **애덤 스미스**"라고 썼다가 곧바로 지웠음.

143 (v) "양도에" ← "수탈에"

144 (k) "중농주의는"(sie) — 자필 원고에는 "es"로 되어 있음.

145 (v) 초고에는 이 긴 줄 아래에 "c) **애덤 스미스**"라고 썼다가 곧바로 지웠음.

146 (v) "소박한" ← "멍청한"

147 (e) "대중선동가"(Demagogen)라는 이 말은 독일 행정당국이 19세기 전반기의 자유주의적 민주주의 이념을 주장하는 사람들에게 붙인 명칭이다.

148 (v) "프로이센 왕실" — 새로 삽입된 것.

149 (e) "**법정 이자보다 두 배 높은 이자**" — 강조는 마르크스가 한 것.

150 (k) "지불한다면"(paie) — 자필 원고에는 "lui paie"로 "그에게"를 두 번 쓴 것이 되는데, 빠뜨리고 지우지 못한 듯함.

151 (e) "**가치**" — 강조는 마르크스가 한 것.

152 (e) "**새로운 물체**" — 강조는 마르크스가 한 것.

153 (v) 여기에 "제노베시"(Antonio Genovesi, 1712~1769: 이탈리아의 철학자, 경제학자 — 옮긴이)라고 썼다가 곧바로 지웠음.

154 (e) "중농주의자들은 "공업노동자계급을 비생산적"이라고 말하는데" — 베리의 원문에는 "앞서 말한 저자들(여기에서 베리가 말하는 것은 "중농주의자들"(21쪽)을 가리킨다 — 편집자)의 논리에 따르면 공업에 종사하는 계급의 노동은 **비생산적**인 것으로 지칭된다"라고 되어 있음.

155 (e) "**공업생산물의 가치**는 … **합한 것과 같기**" — 강조는 마르크스가 한 것.

156 (e) 이 문단의 인용문은 문장 중간에 있는 "Ferner"(또한)란 단어만 제외하고 제7노트(런던, 1859~62년), 95/96쪽에서 옮겨 쓴 것이다. 여기에는 정확하지 않은 쪽수 표기 22쪽이 포함되어 있다. "결합과 분리는 인간의 정신이 … 부의 재생산과 관련되어 있다"는 "자

본의 재생산"이라는 제목 아래 「인용문 노트」 37쪽에도 있다. "중농주의자들은 공업노동자계급을 … 합한 것과 같기 때문이다"는 「인용문 노트」 47쪽에 있다. 「인용문 노트」에서 **"잉여가치"**라는 제목이 붙은 부분은 제7노트(런던, 1859~62년)에서 옮겨 쓴 것이다.

157 (e) 여기부터 이 문단 끝까지는 제7노트(런던, 1859~62년), 95/96쪽에서 옮겨 쓴 것.

158 (e) **"그가 지출한 소비의 … 창출된 새로운 가치량"** — 강조는 마르크스가 한 것.

159 (e) "새로운 가치량"(è vera nuova quantità) — 베리의 원문에는 "ê una nuova quantità"로 되어 있음.

160 (e) 여기부터 이 문단 끝까지는 「인용문 노트」 37쪽에도 있는데 거기에는 **"자본의 재생산"**이라는 제목이 붙어 있고 이것은 제7노트(런던, 1859~62년)에서 옮겨 쓴 것이다.

c) 애덤 스미스

1 (v) 다음에 "oder d. tra"라고 썼다가 곧바로 지웠음.

2 (v) 다음에 "혹은 자연임금률"이라고 썼다가 곧바로 지웠음.

3 (e) 애덤 스미스, 『국부론』, 파리, 1802년.

4 (e) 이 문단의 인용문은 제7노트(런던, 1859~62년), 210쪽에서 옮겨 쓴 것이다. 188쪽에서 마르크스는 스미스의 이 부분을 프랑스어로 발췌했다. 그런데 그는 210쪽에서 **"188쪽을 첨부**(Ad. p. 188). 거기와 이하에서 인용된 스미스의 문장은 **매컬럭**이 편집한 영어본(**런던, 1828년**)에 의한 것이다"라고 썼다. 그런 다음 여러 인용문이 이어졌다. 인용문에서 강조는 모두 마르크스가 한 것.

5 (v) "현저한" — 새로 삽입된 것.

6 (v) 다음에 "ihr"라고 썼다가 곧바로 지웠음.

7 (v) "결과물" ← "성[과물]"

8 (e) 스미스의 저작에 스며든 중농주의자들의 견해는 G354~G359쪽과 제7노트, 626~632쪽(MEGA② II/3.3)을 보라.

9 (v) "상품" ← "가치(혹은 어쩌면 상품)" ← "잉여가치"

10 (e) 카를 마르크스, 『경제학 비판을 위하여』, 제1권, 베를린, 1859년, 37/38쪽을 보라.

11 (v) "교환가치" ← "가치"

12 (v) 여기에 "비율"이라고 썼다가 곧바로 지웠음.

13 (k) "살아 있는"(lebendiger) — 자필 원고에는 "lebendige"로 되어 있음.

14 (v) "상품을 구매할 수 있는 살아 있는 노동의 양" ← "어떤 상품을 구매할 수 있는 살아 있는 노동의 양" ← "어떤 상품을 구매할 수 있는 살아 있는 노동"

15 (k) "일정량의 살아 있는 노동을 구매할 수 있는 상품량" — 자필 원고에는 "일정량의 상품을 구매할 수 있는 살아 있는 노동의 양"으로 되어 있음.

16 (v) "교환가치" ← "가치"

17 (k) "일정량의"(einem bestimmten) — 자필 원고에는 "einer bestimmten"으로 되어 있음.

18 (v) "상품으로" ← "살아 있는 노동으로"

19 (v) "노동력의 가치는 다른 모든 상품과 마찬가지로"(Der Werth … des Arbeitsvermögens wechselt wie der jeder anderen Waare) — 자필 원고에는 "노동력"(Arbeitsvermögens) 뒤에 쉼표를 쓰고 "다른 모든 상품과 마찬가지로"(wie der jeder anderen Waare)를 썼다가 곧바로 지우고 "변동하며"(wechselt)에 이어 썼음.

20 (v) "앞으로의" ← "지금의"

21 (k) "가치결정요인"(Bestimmungen) — 자필 원고에는 "Bestimmung"으로 되어 있음.

22 (v) "못하면서도" ← "못하면서"
23 (k) "결정요인"(Bestimmung) — 자필 원고에는 "Bestimmungen"으로 되어 있음.
24 (e) 제12노트, 650~651쪽(MEGA② II/3.3)을 보라. 리카도의 『경제학과 과세의 원리』, 제1장, 제1절도 보라.
25 (v) "일정량" ← "같은 양"
26 (v) 다음에 "교환되고"라고 썼다가 곧바로 지웠음.
27 (v) "그리하여" — 새로 삽입된 것.
28 (v) "같은 크기" ← "일정량"
29 (k) "살아 있는"(lebendiger) — 자필 원고에는 "lebendige"로 되어 있음.
30 (v) "일정량의 살아 있는 노동" ← "살아 있는 노동"
31 (k) "주어진"(einem gegebnen) — 자필 원고에는 "einer gegebnen"으로 되어 있음.
32 (v) "대상적" — 새로 삽입된 것.
33 (v) "하나 혹은 몇몇" ← "어떤 하나의"
34 (v) "상품으로" — 새로 삽입된 것.
35 (v) 다음에 "sich nicht gleiche"라고 썼다가 곧바로 지웠음.
36 (k) "상품들" — 자필 원고에는 "상품들의 교환"으로 되어 있음.
37 (v) 여기에 "그는 노동시간은 상품의 교환가치를 규제하는 내재적인 척도가 아니라고 결론을 내린다. 그는(Er hä[tte])"이라고 썼다가 끝의 "그는"을 곧바로 지우고 본문과 같이 썼음.
38 (e) 제12노트, 650~651, 653~654쪽(MEGA② II/3.3)을 보라. 리카도의 『경제학과 과세의 원리』(런던, 1819년), 제1장, 제1절도 보라.
39 (v) 여기에 "교환가치의"라고 썼다가 곧바로 지웠음.
40 (k) "생각"(Sinn) — 자필 원고에는 "sind"로 되어 있음.
41 (v) "그것은 나중에 맬서스를 … 후자는 단지 전자의 지표일 뿐일 것이다." — 세 문장은 새로 삽입된 것.
42 (e) 제13노트와 제14노트, 753~767쪽(MEGA② II/3.4)을 보라.
43 (v) "교환" ← "가치"
44 (v) "모순되는" — 새로 삽입된 것.
45 (v) 다음에 "무관한"이라고 썼다가 곧바로 지웠음.
46 (e) 카제노브의 원문에는 다음과 같이 되어 있음. "부와 관련된 우리의 연구에서 가장 중요한 것은 **교환**과 **분배**라는 이들 두 주제를 계속해서 서로 구별하는 일이다."
47 (e) 이 인용문은 제7노트(런던, 1859~62년), 115쪽에서 옮겨 쓴 것. 인용문 가운데 일부를 마르크스는 독일어로 번역해놓았다. 원전과 차이가 나는 부분은 제7노트에서 영어로 재번역하면서 발생한 것으로 보인다. 쪽수는 제7노트에 표기된 것이다.
48 (v) 다음에 "대량의 노동"이라고 썼다가 곧바로 지웠음. "또 어떤 때는" — 새로 삽입된 것.
49 (k) "논의하는"(entwickelt) — 자필 원고에는 다음에 쉼표가 있음.
50 (e) 애덤 스미스, 『국부론』, 파리, 1802년.
51 (e) 이 문단의 인용문 중에서 "**교환가치**" 이외의 강조는 모두 마르크스가 한 것.
52 (e) "**시장에 존재하는 타인의 전체 노동 혹은 이 노동의 생산물 전체**" — 강조는 마르크스가 한 것.
53 (v) 여기에 "의 양"이라고 썼다가 곧바로 지웠음.
54 (e) "**동일한 양의 노동가치**" — 강조는 마르크스가 한 것.
55 (v) 다음에 ", 따라서"(, also)라고 썼다가 곧바로 지웠음.
56 (k) "사회적"(gesellschaftlicher) — 자필 원고에는 다음에 쉼표가 있음.

57 (k) "사실이다"(liegt auf der) — 자필 원고에는 "liegt auf dem"으로 되어 있음.

58 (v) 여기에 "상품이 그 속에 포함된 노동시간에 의해"라고 썼다가 곧바로 지웠음.

59 (e) 이하 인용문은 마르크스가 중간에 삽입한 문구를 제외하고는 모두 제7노트(런던, 1859~62년), 173쪽에서 옮겨 쓴 것. 강조는 마르크스가 한 것.

60 (e) "**똑같은 양**" — 강조는 마르크스가 한 것.

61 (e) "… 가치를 포함한다는"(alors la valeur) — 스미스의 원문에는 "alors contenir la valeur"로 되어 있음.

62 (e) "**본래의 가치**" — 강조는 마르크스가 한 것.

63 (v) 여기에 "여기에서는 …으로 된다"(wird hier)라고 썼다가 곧바로 지웠음. 따라서 이 전체 문장은 원래 "노동 그 자체와 그것의 척도인 노동시간에 적용되는 이야기는 여기에서 … 변동하는 노동가치 그 자체에 대해서도 그대로 적용되는 것으로 된다"였는데 "wird hier"가 지워짐으로써 현재의 문장이 되었다.

64 (v) 여기에 "같은 양"(gleiche Quantit[ät])이라고 썼다가 곧바로 지웠음.

65 (k) "장"(Capiteln) — 자필 원고에는 다음에 쉼표가 있음.

66 (v) "그것과는 다른 노동량" ← "그것과는 다른 [양]" ← "양"

67 (e) 이 인용문은 제7노트(런던, 1859~62년), 173쪽에서 옮겨 쓴 것. 강조는 마르크스가 한 것.

68 (e) 이 인용문은 제7노트(런던, 1859~62년), 173쪽에서 옮겨 쓴 것.

69 (k) "**원료**"(materiaux) — 자필 원고에는 이탤릭체가 아닌 정자체로 되어 있음.

70 (e) 이 인용문은 제7노트(런던, 1859~62년), 173쪽에서 옮겨 쓴 것. 강조는 마르크스가 한 것.

71 (v) "노동조건(die Arbeitsbedingungen)" — "die" 다음에 "Arbeitsbedingung auf"라고 썼다가 곧바로 지웠음.

72 (e) "잠깐, 다음 구절로 … 전제를 이루는 것이다." — 제7노트(런던, 1859~62년), 173쪽에 있던 것을 약간 바꾸어서 옮겨 쓴 것.

73 (e) "**생산물을 판매하여 … 이윤을 획득하게**" — 강조는 마르크스가 한 것.

74 (v) "양도이윤"(profit upon alienation) — "profit" 다음에 "of"(…의)라고 썼다가 나중에 지우고, "up[on]"(…에 의한)이라고 썼다가 곧바로 지우고 다시 "expr[opriation]"(수탈)이라고 썼다가 곧바로 지웠음.

75 (e) 이 인용문은 마르크스가 중간에 괄호 안에 써서 삽입한 문구를 제외하고는 모두 제7노트(런던, 1859~62년), 173쪽에서 옮겨 쓴 것. 강조는 마르크스가 한 것.

76 (e) 제14노트, 777쪽(MEGA② II/3.4)에 있는 비슷한 주석을 보라. 마르크스는 이윤의 변호론들을 다루는 별도의 장을 집필하지 않았다. 단지 부분적인 문제들을 『잉여가치론』의 곳곳에서 다루고 있을 뿐이다. 예를 들어 G631~G636쪽을 보라.

77 (e) 제7노트(런던, 1859~62년), 173쪽에서 마르크스는 G371쪽 40행~G372쪽 4행에서 인용한 문장(위의 주 75에서 언급한 인용문 — 옮긴이)에 이어 다음과 같이 쓰고 있다. "〔따라서 여기에서는 이윤의 근원을 원료의 투하, 즉 상품을 생산과정에 투입한 위험에 대한 대가 때문이라고 말한다. 자본가들 상호 간의 계산에서는 이 말이 맞는다. 하지만 노동자들에 대한 계산에는 이 말이 틀렸다. 봉건영주들이 그랬던 것처럼 이들 원료를 가신들과 함께 모두 소비하든 혹은 보물이나 다이아몬드 같은 형태로 창고에 보관해두든 아니면 그 원료를 썩게 내버려두든 이 모든 경우에서 원료가 더 불어나는 경우는 결코 없을 것이다. 생산에 투입함으로써 발생하는 위험은 이들 어떤 경우보다 더 작다. 그래서 노동력이 부족한 러시아나 아르헨티나 등지에서는 원료의 일부가〔시토르흐를 보라〕 아무런 쓸모도 없이 그냥 내버려진다.〕 이 위험이라는 것은 터무니없는 이야기인 것이다."

78 (v) 여기에 "두 부분으로"라고 썼다가 곧바로 지웠음.

79 (e) 이 인용문은 마르크스가 중간에 삽입한 문구를 제외하고는 모두 제7노트(런던, 1859~62년), 174쪽에서 옮겨 쓴 것. 강조는 마르크스가 한 것.

80 (k) "자신의"(ihre) — 자필 원고에는 "ihr"라고 되어 있음.

81 (e) G381~G384쪽을 보라.

82 (e) **"노동이든"** — 강조는 마르크스가 한 것.

83 (v) 여기에 "살아 [있는]"이라고 썼다가 곧바로 지웠음.

84 (v) "않기" ← "않았기"

85 (v) "잉여가치" ← "가치"

86 (v) "그 가치대로(zu ihrem Werth)" — "zu" 다음에 "d. in"이라고 썼다가 곧바로 지웠음.

87 (v) 이 문장의 마지막 부분인 "…을 따르기 때문에 발생한다"를 여기에 썼다가 곧바로 지웠음.

88 (e) "따라서 이윤은 노동자가 … 이윤을 이루는 부분이다." — 전체적으로 제7노트(런던, 1859~62년), 174쪽과 일치함.

89 (v) "분할되고" ← "폐기되고"

90 (e) 이 인용문은 제7노트(런던, 1859~62년), 174쪽에 일부가 독일어로 번역된 형태로 존재함.

91 (e) 마르크스는 스미스의 이 반박문을 「인용문 노트」 53쪽에 독일어로 번역하여 발췌해두었다. 제7노트(런던, 1859~62년), 174쪽에서도 마르크스는 스미스의 이 반박문을 설명하고 주석을 붙여놓았다.

92 (e) 제15노트, 910~919쪽(MEGA② II/3.4)과 제18노트, 1099~1102쪽(MEGA② II/3.5)을 보라.

93 (e) **"추가적인 노동량"** — 강조는 마르크스가 한 것.

94 (e) 이 인용문은 제7노트(런던, 1859~62년), 188쪽에 있음.

95 (v) "일정량의" ← "어떤 양의"

96 (v) "상대적 가치 …의 결정에 변화가" — "상대적 가치의 변화가"라고 썼다가 "상대적 가치"를 곧바로 지우고 본문처럼 다시 썼음.

97 (k) "계속"(stets) — 자필 원고에는 다음에 쉼표가 있음.

98 (k) "것은"(darin) — 자필 원고에는 "dagegen"(반면에)라고 되어 있음.

99 (k) "99, 100" — 자필 원고에는 "199, 100"으로 되어 있음.

100 (e) 이 인용문은 부분적으로 제7노트(런던, 1859~62년), 188쪽에 있음. 인용문 중의 강조는 "토지의 지대"를 제외하고 모두 마르크스가 한 것.

101 (k) "지대"(Grundrente) — 자필 원고에는 다음에 쉼표가 있음.

102 (k) 자필 원고에는 이 자리의 인용부호가 빠져 있음.

103 (e) **"항상 파생적인 소득이며"** — 강조는 마르크스가 한 것.

104 (e) **"이윤"** — 강조는 마르크스가 한 것.

105 (k) "평균"(den Durchschnitt) — 자필 원고에는 "der Durchschnitt"으로 되어 있음.

106 (v) 다음에 "그것은 어떤 부분도 아니다"(ist es kein Th[eil])라고 썼다가 곧바로 지웠음.

107 (v) "이거나" — 새로 삽입된 것.

108 (e) "노아의 대홍수 이전의 자본형태"에 대해서 마르크스는 여록 "소득과 그것의 원천. 속류경제학"(제15노트, 899~901쪽)(MEGA② II/3.4를 보라)에서 고찰하고 있다.

109 (k) "나타난다"(kömmt … vor,) — 자필 원고에는 "vor" 다음에 쉼표가 빠져 있음.

110 (v) 다음에 "…으로 된다"(entste[ht])라고 썼다가 곧바로 지웠음.

111 (k) 자필 원고에는 "제외한다면," 다음에 여는 괄호가 있음.

112 (e) 이 인용문은 제7노트(런던, 1859~62년), 212, 213쪽에서 옮겨 쓴 것.
113 (v) 여기에 "직접"이라고 썼다가 곧바로 지웠음.
114 (v) "신분" ← "계급"
115 (e) 애덤 스미스, 『국부론』, 파리, 1802년.
116 (e) "노동에 대한"(from the labour) — 스미스의 원문에는 "from the produce of labour"로 되어 있음.
117 (e) 이 인용문은 애덤 스미스, 『국부론』(매컬럭 엮음, 에든버러, 1828년)에서 옮겨 쓴 것. 제7노트(런던, 1859~62년), 210쪽에서 옮겨 쓴 것이며 원전과 정확히 일치함. 강조는 마르크스가 한 것.
118 (v) "유일한" ← "참된"
119 (v) "즉 잉여가치는 소비된 물적 소재를 초과하여 생산된 물적 소재의 잉여이다." — 이 문장 전체가 새로 삽입된 것.
120 (v) "소유자"(Eigenhtümer) ← "소지자"(Besitzer)
121 (v) 여기에 "직[접]"(d. unmitt[elbar])이라고 썼다가 곧바로 지웠음.
122 (e) (이 꺾쇠괄호로 표시된 단락에 대한 해설이다. — 옮긴이) 마르크스는 G380쪽 33행~G384쪽 6행(본문 100쪽 2행~103쪽 첫 문단 — 옮긴이)에서 "1) 애덤 스미스가 보이는 잉여가치와 이윤의 혼동", G439쪽 27행(본문 162쪽 둘째 문단 — 옮긴이) 이하에서 "2) 생산적 노동에 대한 그의 견해", G384쪽 7행~G397쪽 41행(103쪽 둘째 문단~117쪽 끝 — 옮긴이)에서 "3) 그가 지대와 이윤을 어떻게 **가치의 원천**으로 만드는지, 그리고 자연가격에 대한 그의 분석의 오류"를 고찰했다. 3)과 1)의 중간 — 마르크스는 이들의 순서를 바꾸었다 — 에 그는 "…이 어떻게 가능한지에 대한 연구"라는 문구를 써넣었다. 즉 처음에 마르크스는 이 연구를 미리 예상하지 못했고 아마도 이 연구를 1862년 3월 30일부터 4월 24일까지 맨체스터의 엥겔스 집에 머물면서 수행한 것으로 보인다. 이 연구와 함께 그는 원래 예정했던 틀을 넘어서 "5) 잉여가치론"으로까지 연구를 확대하기 시작한 것이 틀림없다.
123 (v) "노동력에 대한 일시적인 처분권" ← "[노동력]의 일시적인 획득" ← "노동[력]"
124 (k) "무시하기로 한다"(abzusehn]) — 자필 원고에는 닫는 괄호( ])가 빠져 있음.
125 (v) "더 많은 노동시간을" 다음에 "더 많은 양의 노동을"이라고 썼다가 나중에 지웠음.
126 (v) "자립적인" ← "일반적인"
127 (v) "노동자가 생산한" — 새로 삽입된 것.
128 (v) 여기에 "만일 … 하다면"(wenn)이라고 썼다가 곧바로 지웠음.
129 (v) 여기에 "자[본]에 대한"(vom Ca[pital])이라고 썼다가 곧바로 지웠음.
130 (v) 여기에 "고유하고"라고 썼다가 나중에 지웠음.
131 (e) 제13노트와 제14노트, 753~767쪽(MEGA② II/3.3)을 보라.
132 (v) "총체적인" ← "근본적인"
133 (e) "**자연가격**(혹은 **필요**가격)이란 … 총**노동량**을 의미한다." — 호지스킨의 원문에는 "반면에 자연 혹은 필요 가격이란 … 총노동량을 의미한다"라고 되어 있음.
134 (e) "이들 두 가격은 언제나 서로 구별되어야만 한다." — 이 문장은 본문에서 독일어로 쓰였으며 호지스킨의 원문에는 "우리는 언제나 자연가격과 사회적 가격의 차이에 주의를 기울여야만 한다"라고 되어 있음.
135 (v) "이루어진다(entsteht)" ← "구성된다(besteht)"
136 (v) "그것의 특수한 형태들과 구별되는 일정한 범주들"(einer bestimmten, von ihren besondren Formen unterschiednen Categorie) — 초고에는 "bestimmten" 다음에 "Catego[rie]"라고 썼다가 곧바로 지웠음.

137 (e) G333쪽 5행에 관한 해설(부속자료 15쪽 아래쪽에 있는 주 3 — 옮긴이)과 제14노트, 791~805쪽(MEGA② II/3.4)을 보라.
138 (v) 여기에 "일반적"이라고 썼다가 나중에 지웠음.
139 (e) 이하 두 문단의 인용문은 애덤 스미스, 『국부론』, 파리, 1802년, 96, 97쪽. 제7노트(런던, 1859~62년), 174쪽에서 옮겨 쓴 것.
140 (v) "총가치" ← "총액"
141 (e) "자본 총액"을 꾸미는 형용사절을 이끄는 관계대명사 "qui ont" — 스미스의 원문에는 "qui lui ont"으로 되어 있음.
142 (e) "**이상의 어떤 것**" — 강조는 마르크스가 한 것.
143 (v) "이른바 감독노동" ← "감독노[동]"
144 (e) "**그것은 전적으로 사용되는 자본의 가치에 따라 결정되며 … 평균 자본이윤이 연 10퍼센트인**" — 강조는 마르크스가 한 것.
145 (e) 이 인용문은 애덤 스미스, 『국부론』, 파리, 1802년, 제1편, 제6장, 97, 98쪽에서 옮겨 쓴 것.
146 (v) "잉여노동시간"의 표현을 "surplus Arbeitsstunde" ← "surplus Arbeitszeit"
147 (v) 다음에 "노동"이라고 썼다가 곧바로 지웠음.
148 (v) "임금이 서로 같다는 것으로부터 알 수 있듯이" — 새로 삽입된 것.
149 (v) "특수한 두 유형" ← "두 형태"
150 (v) "추상적" — 새로 삽입된 것.
151 (v) "여러 형태들을 구별"의 표현을 "Formunterschiede" ← "Formverschiedenheit"
152 (v) "형태가 … 전화하는 것"의 표현을 "Wandlungen in der Form" ← "Wandlungen der Form"
153 (e) "만일 자본이윤에 대한 … 파생적인 원천에 지나지 않는다" — 로더데일의 원문에는 "이윤"(profit)은 "이익"(bénéfice), "부"(Reichthum)는 "소득"(revenu)으로 되어 있음.
154 (v) "자본의 가치" ← "자본"
155 (k) 자필 원고에는 마침표가 쉼표로 되어 있음.
156 (v) "두 경우" ← "두 방[식]" ← "두 관[계]"
157 (v) 여기에 "현존하는"이라고 썼다가 곧바로 지웠음.
158 (e) "**모든 교환가치 … 세 가지 본원적 원천**" — 강조는 마르크스가 한 것.
159 (v) "그러므로" — 새로 삽입된 것.
160 (v) "이 문제는 …에 속한다(gehört)"라고 썼다가 곧바로 "gehört"를 지우고 "ist"로 바꾸어 본문처럼 이어 썼음.
161 (e) 여기에서 마르크스는 "평균가격"이라는 용어를 그가 "생산가격"(즉 생산비 c + v에 평균이윤을 더한 것)으로 이해하는 것과 동일한 것으로 이해하고 있다. 상품의 가격과 그것의 평균가격 사이의 관계에 대하여 마르크스는 1861~63년 초고의 제12노트에서 다룬다. 여기에서 "평균가격"이라는 용어는 "장기에 걸친 평균 시장가격 혹은 … 시장가격이 수렴되는 중심"으로 이야기되는 것을 가리킨다. 제12노트, 605쪽(MEGA② II/3.3)을 보라.
162 (v) "고찰하면서"(in der Betrachtung) — 처음에 "in d. betrachteten"이라고 썼다가 곧바로 "d. betrachteten"을 지우고 본문처럼 바꿔 썼음.
163 (v) 다음에 "는 …로 분해될 수 있다"라고 썼다가 곧바로 지웠음.
164 (v) "분해될 수 있다" ← "분해된[다]"
165 (v) "상품가치와는 별개로 규제되는 임금가격 및 이윤가격" ← "임금가치 및 이윤가치"
166 (v) "다른 모든 상품과 마찬가지로" — 새로 삽입된 것.
167 (e) 마르크스는 "비용가격"이라는 용어를 다음과 같이 여러 가지 의미로 사용하고 있다.

1. 자본가들에게 생산비(c + v)의 의미. 2. 상품의 내재적 생산비(이것은 상품의 가치와 일치한다)(c + v + m)의 의미. 3. 생산가격(c + v + 평균이윤)의 의미. 여기에서는 두 번째 의미, 즉 내재적 생산비의 의미로 사용되었다. 1861~63년 초고의 제11노트에서는 "비용가격" 용어를 세 번째 의미, 즉 생산가격 혹은 "평균가격"이라는 의미로 사용했다. 거기에서 마르크스는 이들 용어를 거의 동일시하고 있다. 예를 들면 제11노트, 509쪽(MEGA② II/3.3)에서 이렇게 쓴다. "… 가치 그 자체와는 다른 평균가격 혹은 **비용가격**(우리는 이렇게 부르고자 한다)은 곧바로 상품가치에 의해 결정되는 것이 아니라 상품에 투하된 자본에 평균이윤을 더한 것이다." 제12노트, 624쪽(MEGA② II/3.3)의 초고에서 그는 이렇게 말한다. "… 상품 공급에 필요한 가격, 즉 상품이 일반적으로 상품으로 시장에 등장하기 위해 필요한 가격은 물론 상품의 **생산가격** 혹은 **비용가격**이다."

1861~63년 초고의 제14노트와 제15노트에서 마르크스는 "비용가격" 용어를 생산가격의 의미는 물론 자본가들에게 생산비의 의미로도 함께 사용하고 있다(MEGA② II/3.4를 보라).

"비용가격"이란 용어를 이처럼 여러 가지 의미로 사용한 것은 경제학에서 "비용"이라는 말이 다음과 같이 세 가지 의미로 사용되기 때문인데 마르크스는 이 점을 제14노트, 788~790쪽과 제15노트, 928쪽(MEGA② II/3.4를 보라)에서 강조하고 있다. 1. 자본가가 지불하는 선대의 의미. 2. 선대된 자본에 평균이윤을 더한 가격의 의미. 3. 상품 그 자체의 실질적(내재적) 생산비의 의미.

부르주아 고전경제학에서 사용되고 있는 이런 세 가지 의미 외에도 "비용가격"의 네 번째 의미가 존재하는데 그것은 속류적인 것에 해당한다. 즉 비용가격이 노동, 자본, 토지가 생산을 위해 기여한 것에 대한 지불이라는 의미이다. 마르크스는 "비용가격"에 대한 이런 속류적 인식을 단연코 기각했다(제11노트, 506쪽과 제13노트, 693/694쪽, MEGA② II/3.3을 보라).

168 (k) "판매자" — 자필 원고에는 "구매자"로 되어 있음.

*169 (v) "계산되어야" — 아무런 표기 없이 새로 삽입됨.

170 (e) 제11노트, 549~560쪽(MEGA② II/3.3)을 보라.

171 (v) "나타난다"(tritt … entgegen) — "tritt in der"라고 썼다가 곧바로 "in der"를 지웠음.

172 (v) 다음에 "임금이 예를 들어 …과 같은 경우"라고 썼다가 곧바로 지웠음.

173 (v) "변동"의 표현을 "Oscillationen" ← "Schwank[ungen]"

174 (v) 다음에 "으로서"(als)라고 썼다가 곧바로 지웠음.

175 (v) "항목들" ← "부분들"

176 (e) "임금" — 스미스의 원문에는 "노동의 임금"으로 되어 있음.

177 (e) 제7노트(런던, 1859~62년), 174쪽에서 옮겨 쓴 것. 강조는 마르크스가 한 것.

178 (e) 여기부터 이 문단 끝까지는 단어만 몇 개 바꾸고 모두 제7노트(런던, 1859~62년), 174쪽에서 옮겨 쓴 것.

179 (v) 여기에서 괄호를 닫고 이어서 "…에도 불구하고"(obgleich)라고 썼다가 곧바로 지웠음.

180 (v) "지대" 앞에 "…의 구성[요소]가 아닌"(nicht als Besta[ndtheil])이라고 썼다가 곧바로 지우고 "consti"라고 썼다가 곧바로 지웠음.

181 (e) "이들 세 구성부분 … 구성되어 있다는 점이 고려되어야만 한다." — 제7노트(런던, 1859~62년), 186쪽에 있음.

182 (e) 이 문단 전체에서 강조는 마르크스가 한 것.

183 (v) "가격" ← "마모분"

184 (v) "(그리고 지대)" — 새로 삽입된 것.

185 (v) "자신과 다른 사람에게" — 새로 삽입된 것.

186 (k) "지대"(Rente) — 자필 원고에는 뒤에 쉼표가 있음.
187 (v) "이들과는 구별되는 별도의" — 새로 삽입된 것.
188 (v) "차지농업가의 경우에는" — 새로 삽입된 것.
189 (v) "혹은 모두로" — 새로 삽입된 것.
190 (e) 이하 이어지는 인용문("… 지불된다는 것을 … 알게 되었다")까지는 제7노트(런던, 1859~62년), 187쪽에서 옮겨 쓴 것(잘못된 쪽수 표기인 213쪽을 포함하여).
191 (k) "212" — 자필 원고에는 "213"으로 되어 있음.
192 (v) "상품가치의 총액" ← "상품가치"
193 (v) "이들 각 상품의 개별 가치" ← "이들 상품 각각의 가치" ← "이들 상품의 가치"
194 (e) 이 인용문은 제7노트(런던, 1859~62년), 187쪽에서 옮겨 쓴 것(잘못된 쪽수 표기인 213쪽을 포함하여). 강조는 마르크스가 한 것.
195 (v) "그리하여 애덤 스미스는 곧바로 … 그대로 해당되어야만 한다." — 새로 삽입된 것. 267쪽 말미에 덧붙인 이 삽입 부분으로 인하여 이 텍스트는 중단되어 있다. 바로 이 때문에 G390쪽 28행에서 마르크스는 "계속해서 애덤 스미스는 이렇게 말한다(계속해서 268쪽을 보라)"라고 쓰고 있다.
196 (e) "**총소득과 순소득**" — 스미스의 원문에는 "**총**소득과 **순**소득"으로 되어 있음.
197 (e) "**모든 주민**" — 강조는 마르크스가 한 것.
198 (e) 이 인용문은 제7노트(런던, 1859~62년), 187쪽에서 옮겨 쓴 것.
199 (k) "…에게 …인 것"(was für) — 자필 원고에는 "was wir für"로 되어 있음. 빠뜨리고 지우지 못한 듯함.
200 (v) "수중에서는"(in der Hand) ← "수중으로부터"(aus der Hand)
201 (v) "이루었던"(hervorging) ← "나타낸"(darstellte) ← "…으로 분해된"(auflöste)
202 (e) "**순소득**" — 스미스의 원문에는 "**순**소득"으로 되어 있음.
203 (e) "필요한 비용을 공제한 다음 **토지소유자에게 남는 것**" — 강조는 마르크스가 한 것.
204 (k) "" 등등. "" — 자필 원고에는 인용부호가 없어서 인용문이 이어지는 것처럼 되어 있음.
205 (e) 사적 토지의 총소득은 … 토지소유자에게 남는 것", "토지소유자의 실질적인 부는 … 순소득에 달려 있다." — 제7노트(런던, 1859~62년), 187쪽에서 옮겨 쓴 것.
206 (v) "농기구" ← "쟁기"
207 (k) "셈이다]" — 자필 원고에는 소괄호( ))로 표기되어 있음.
208 (e) "**총**생산물" — 강조는 마르크스가 한 것.
209 (e) 이 인용문은 마르크스가 중간에 삽입한 부분을 제외하고는 모두 제7노트(런던, 1859~62년), 187쪽에서 옮겨 쓴 것.
210 (e) "**들어가는 재료**" — 강조는 마르크스가 한 것.
211 (e) "**들어가는 노동생산물**" — 강조는 마르크스가 한 것.
212 (e) "**노동의 가격**" — 강조는 마르크스가 한 것.
213 (e) "**그가 받은 임금의 총가치**" — 강조는 마르크스가 한 것.
214 (e) "노동의 가격은 물론 그 생산물도 이 소비재원에" — 스미스의 원문에는 "재원"만 강조되어 있음.
215 (e) 이 인용문은 제7노트(런던, 1859~62년), 187, 188쪽에서 옮겨 쓴 것.
216 (v) "이것은 다른 학자들보다는 … 가까운 것이다." — 이 문장 전체는 연필로 새로 써넣은 것.
217 (k) "분해된다"(löst … auf) — 자필 원고에는 "분리된다"(löst … ab)로 되어 있음.
218 (v) 여기에 "전적으로 … 용도로 정해진 생산"(der Production, die ganz für)이라고 썼다가 곧바로 지웠음.
219 (v) 여기에 "기[계]"라고 썼다가 곧바로 지웠음.

220 (v) ", 총소득에 들어간다"—새로 삽입된 것.

221 (e) "**총소득**의 일부도 **순소득**의 일부도 되지 않는다"—강조는 마르크스가 한 것.

222 (e) 이 인용문은 제7노트(런던, 1859~62년), 188쪽에서 옮겨 쓴 것.

223 (v) "상투적인 천박함"←"천[박한] 상투적 행태"←"상투적 행태"

224 (e) "**총소득**"—강조는 마르크스가 한 것.

225 (v) "생산된"←"소비된", 엥겔스가 연필로 수정한 것으로 보임.

226 (v) "생산된"←"소비된", 엥겔스가 연필로 수정한 것으로 보임.

227 (v) 여기에 "이룬다"라고 썼다가 곧바로 지웠음.

228 (v) "들어갈 수 있는"←"들어가는"

229 (e) G438쪽 29행~G439쪽 14행(본문 161쪽 둘째 문단—옮긴이)을 보라.

230 (e) 1824년 독립 저서로 출판된 『국민소득의 성질에 관한 고찰』은 1852년 『경제학 강의』 제5권으로 출판되었다. 마르크스는 1824년판을 인용 대본으로 사용했다.

231 (e) 이 인용문에서 강조는 모두 마르크스가 한 것.

232 (e) "**소득**"—강조는 마르크스가 한 것.

233 (e) "세는 …"—시토르흐의 원문에는 "세는 이와 반대로 …"라고 되어 있음.

234 (e) "**소비된 총가치**를 초과하여 … 초과하는 잉여이다."—시토르흐의 원문에는 "**소비된 총가치를 초과하여… 생산에 소비된 가치를 초과하는** 잉여이다"와 같이 강조되어 있음.

235 (e) "**자본**"—강조는 마르크스가 한 것.

*236 (v) "(불변자본)"—연필로 새로 삽입한 것. 마르크스는 시토르흐의 부정확성을 바로잡으려고 이 부분을 써넣은 것으로 보인다.

237 (e) "**한 나라 국민의 자본**(불변자본)**을 이루는 생산물은 소비될 수 없다**"—강조는 마르크스가 한 것.

238 (e) 램지의 원문에는 다음과 같이 되어 있음. "리카도는 이윤의 문제가 전적으로 비율의 문제라는 것을 잘 알고 있었다. 그러나 불행히도 그는 총생산물이 임금과 이윤으로 분할된다고 간주하면서 고정자본의 보전에 필요한 부분을 잊고 있다."

239 (e) "생산물과 거기에 지출된 자본은 어떻게 비교되는가?"—램지의 원문에는 다음과 같이 되어 있음. "생산물과 거기에 지출된 자본 사이의 비교는 어떻게 이루어지는가?"

240 (e) "한 나라 전체를 생각한다면"(In regard to a whole nation)—램지의 원문에는 "With regard to a whole nation"으로 되어 있음.

241 (k) "137~139"—자필 원고에는 "138, 139"로 되어 있음.

242 (e) "개별 자본가들의 경우, 이들은 … 필요하기 때문에 개별 자본가들은"—램지의 원문에는 다음과 같이 되어 있음. "생산물 가운데 어떤 부분도 작업과정에서 소비된 여러 물품들을 엄격한 의미에서 완전히 **보전할** 수 없다. 그중 일부가 **현물로** 보전될 수도 있다는 것은 분명하지만 결코 모두를 보전할 수는 없다. 그중 훨씬 많은 부분은 교환을 통해서 획득되어야 하고, 생산물 가운데 일정 부분은 바로 이 교환을 위한 용도로 필요하다. 그러므로 이들 모든 개별 자본가들은…"

243 (e) "**생산물의 가치**가 선대된 **자본의 가치**를"—강조는 마르크스가 한 것.

244 (e) "따라서 이윤율은 두 가지 요소에 의존한다."—램지의 원문에는 "따라서 이윤율은 반드시 다음 두 가지 요소에 직접적으로 의존한다."

245 (e) 마르크스가 여기에서 제3장이라고 말하는 것은 "자본 일반"에 대한 그의 연구 가운데 세 번째 부분을 가리키는 것이다. 마르크스는 이 문제를 이미 『잉여가치론』에서 다루고 있다. 제18노트, 1091~1098쪽(MEGA② II/3.5)을 보라.

246 (k) 자필 원고에는 닫는 괄호가 빠져 있음.

247 (v) "한 나라 전체에 대한"←"한 나라에 대한"

248 (e) 단순재생산의 이 두 가지 관점에 대하여 마르크스는 이 책에서 여러 번 다루고 있다. 예를 들어 "연간 이윤과 임금이, 이윤과 임금 이외에 불변자본까지 포함하는 연간 상품을 어떻게 구매할 수 있는지에 대한 연구"(G398~G438쪽을 보라)와 생산적 노동과 비생산적 노동의 구별에 관한 연구(G508~G518, G553쪽 "소득과 자본의 교환"을 보라) 등이 그런 부분들이다. 이 초고의 이후의 노트들에서도 마르크스는 반복해서 단순재생산 문제를 다루고 있으며 그런 다음 제22노트(MEGA② II/3.6)에서 자신의 재생산이론을 완성하면서 잠정적인 결론에 이르고 있다.

249 (v) 다음에 "그러나 모든 노동은 … 지불된다"라고 썼다가 곧바로 지웠음.

250 (v) "임금과 이윤으로 분해되지 않고" — 원래는 "eine die nicht bezahlt weder Salair noch Profit abwirft"(임금으로 지불되지도 않고 이윤을 낳지도 않는)라고 썼다가 본문과 같이 바꿨음.

251 (v) "노동자의 모든 노동이 … 누가 그런 노동을 수행한단 말인가?" — 이 문장 전체가 새로 삽입된 것. "노동자의 … 분할되는데"와 "도대체 누가 … 수행한단 말인가"가 원래 별개의 문장으로 나뉘어 있다가 나중에 이어졌음.

[연간 이윤과 임금이, 이윤과 임금 이외에 불변자본까지 포함하는 연간 상품을 어떻게 구매할 수 있는지에 대한 연구]

1 (v) "노동수단" ← "생산[수단]"

2 (k) "총소득…의 크기"(the amount of the gross return) — 자필 원고에는 "the return of the gross return"으로 되어 있음.

3 (e) "**불변**" — 강조는 마르크스가 한 것.

4 (e) 여기부터 "… 바로 산업자본가이기 때문이다"까지는 연필로 여러 번 가로세로 빗금을 그어 지웠다. 이런 형태의 삭제 방식은 전형적인 것은 아니지만 이후의 노트에서도 드물게나마 찾아볼 수 있다.

5 (e) "산업자본가는 부의 일반적 분배자이다. 그는 노동자에게는 임금을, (화폐)자본가에게는 이자를, 토지소유자에게는 지대를 지불한다." — 램지의 원문에는 다음과 같이 되어 있음. "산업자본가는 … 국민소득의 일반적 분배자이다. 그는 부의 갖가지 원천을 소유한 모든 사람에게 연간 총생산물 가운데 각자의 몫을 지불할 의무가 있다. 즉 노동자에게는 임금을, (화폐)자본가에게는 이자를, 토지소유자에게는 지대를 지불한다."

6 (v) "("산업자본가는 … 간주한다.)" — 괄호로 묶인 부분은 제7노트를 시작하고 나서 새로 써넣은 것이며 괄호도 본문을 써나가는 도중에 넣은 것이 분명하다. 또한 "[우리는] 잉여가치 [전체를] 이윤이라고 부름[으로써]"의 문장 가운데 "wir, indem wir den ganzen"은 종이가 찢어져서 원문이 유실되었는데 옛날 복사본에 근거하여 복원한 것이다.

7 (v) "생산" ← "농[업]"

8 (v) 다음에 "그럴 경우 잉여가치는 새로운 자본을 형성하기 위한 재원이 아니라 과거 자본의 유지에 사용될 것이다"라고 썼다가 곧바로 지웠음. 이 문장의 마지막 단어인 "Capital" 다음에 있는 삽입 표시 x는 빠뜨리고 지우지 못한 듯함.

9 (v) "낡은" — 새로 삽입된 것.

10 (v) "상품들" ← "사용가[치]"

11 (e) G387쪽 7행에 관한 해설(부속자료 29~30쪽 주 167 — 옮긴이)을 보라.

12 (v) "따라서 … 가정하자" — 이 문장 전체가 새로 삽입된 것.

13 (e) 마르크스가 여기에서 말하고 있는 것은 1861년 "제3장에 대한 집필계획 초안"에 있는

"II. 자본의 유통과정"이다.

14 (v) "살아 있는 노동" ← "노동"

15 (v) "가격" ← "가치"

16 (v) "총생산물" ← "생산물"

17 (v) "총생산물" ← "생산물"

18 (v) "가치구성 부분으로 완성된 상품에 들어간" ← "완성된 상품에 들어 있는"

19 (v) "불변자본을 통해 실현된 노동" ← "불변노동"

20 (v) "그 이상은 단 한 조각도 더 구매할 수 없다." — 새로 삽입된 것.

'21 (v) "(포르카드, 프루동)" — 연필로 추가로 삽입된 것.
(e) 마르크스가 연필로 삽입해놓은 이 부분은 1861~63년 초고의 제5노트의 본문 가운데 한 부분을 가리키는 것이다(MEGA② II/3.1, 317쪽 6~7행을 보라).

22 (v) "4엘레에 포함된" ← "4엘레의"(d. 4 Ellen zu)

23 (k) "획득한"(erhalten) — 자필 원고에는 "포함하는"(enthalten)으로 되어 있음.

24 (v) "모두 … 획득한 가치"의 표현을 "der Werth des ganzen" ← "d. ganze"

25 (v) "불변자본의 가치에 해당하는 부분" ← "불변자본에 해당하는 부분"

26 (v) "불변" — 새로 삽입된 것.

27 (v) 다음에 "d. Producte, Gebrauchswerthe, der"라고 썼다가 지웠음.

28 (v) "24실링" ← "자신의 자본"

29 (k) "그것을"(es) — 자필 원고에는 "sie"로 되어 있음.

30 (v) "재생산한다" ← "생산한다"

31 (k) "똑같이 (…에 따라)"(ebenfalls (nach…)) — 자필 원고에는 "ebenfalls zu (nach…)"로 되어 있음. 빠뜨리고 지우지 못한 듯함.

32 (v) "지불된다면" ← "보전된다면"

33 (v) "새로 생산된" — 새로 삽입된 것.

34 (v) "총생산물" ← "생산[물]"

35 (v) "돛" ← "선박용 [아마포]"

36 (v) "넘어가야만 한다" ← "넘어갈 수 [있다]"

37 (v) "방직업의" ← "방직[과정]의" — 모두 새로 삽입된 것.

38 (v) "일정 상품들" ← "사용가치들"

39 (v) "등" — 새로 삽입된 것.

40 (v) "생산물로" — 새로 삽입된 것.

41 (v) "아마포" — 새로 삽입된 것.

42 (v) "불변자본" — 새로 삽입된 것.

43 (v) "예를 들어 … 재전화시키지 못하고 있는 것이다." — 두 문장 전체가 새로 삽입된 것.

44 (v) "새로운" — 새로 삽입된 것.

45 (v) "8엘레의 아마포는 … 없다." ← "8엘레의 아마포의 가치는 … 없을 것이다."

46 (v) "끊임없이" — 새로 삽입된 것.

47 (v) "임금 및 이윤 총액(즉 그들이 처분권을 가진 24시간의 노동)을 모두 아마포에 지출한다고" ← "임금 및 이윤 총액(즉 그들이 처분권을 가진 24시간의 노동)이 모두 아마포로 분해된다고"

48 (v) "생산영역" ← "범[주]"

49 (v) "이미 들어가 있던" ← "실현된"

50 (v) "어떤 한 생산영역의" — 새로 삽입된 것.

51 (v) "새로" — 새로 삽입된 것.

52 (v) "12엘레 아마포" ← "아마포 가치"

53 (v) 여기 "daß" 다음에 "d. von dem Werth, d. Geld, worin sich"라고 썼다가 곧바로 지웠음.

*54 (v) "구매자가 판매자에게" ← "판매자가 구매자에게", 아마도 엥겔스가 연필로 수정한 것으로 보임.

55 (v) "총상품량" ← "모든 양"

56 (v) "즉 1년 동안 수행된 노동" — 새로 삽입된 것.

57 (v) "아마포 …로"(in Leinwand) — 새로 삽입된 것.

58 (v) "생산자들" ← "노동[자들]"

59 (v) "자신들의" — 새로 삽입된 것.

60 (v) "36" ← "24"

61 (v) "자신들의" — 새로 삽입된 것.

62 (k) "…되어야 한다"(müßte) — 자필 원고에는 "müßten"으로 되어 있음.

63 (v) "새로 부가된" ← "부가된"

64 (k) "N^1 — N^{486}" — 자필 원고에는 "N^1 — N^{5832}"로 되어 있음.

65 (e) 이하에서 마르크스는 위에서 사용한 숫자들을 그대로 유지하면서 생산영역의 표기(A를 제외하고)를 바꾸었다. B와 C 대신에 그는 이제부터 B^1-B^2를 사용하고, D, E, F, G, H, I 대신에 C^1-C^6을, K^1-K^{18} 대신에 D^1-D^{18}(혹은 D^{1-18})을, L^1-L^{54} 대신에 E^1-E^{54}(혹은 E^{1-54})를, M^1-M^{162}대신에 F^1-F^{162}(혹은 F^{1-162})를, N^1-N^{486} 대신에 G^1-G^{486}(혹은 G^{1-486})을 사용하고 있다.

66 (v) "생산물 가운데"의 표현을 "von Product" ← "des Products"

67 (v) "가치를" — 새로 삽입된 것.

68 (e) 이하 1부터 486까지의 분류 항목의 숫자는 이들 생산영역에서 각기 필요한 노동일을 나타내는 것이다.

69 (v) "B^1 – B^2" — 새로 삽입된 것.

70 (v) "36시간" — 새로 삽입된 것.

71 (v) "72시간" — 새로 삽입된 것.

72 (v) "=72시간" — 새로 삽입된 것.

73 (v) "=144시간" — 새로 삽입된 것.

74 (v) "=54노동일" — 새로 삽입된 것.

75 (v) 여기에 "5832"라고 썼다가 곧바로 지웠음.

76 (v) "G^{1-486}" — 새로 삽입된 것.

77 (v) "선행하는 생산영역의 생산물"의 표현을 "in das Product der vorhergehnden Sphäre" ← "das die vorhergehnde Sphäre"

78 (v) 여기에 "B^{1-6}"라고 썼다가 곧바로 지웠음.

79 (v) "등등" — 새로 삽입된 것.

80 (v) "총생산물에"(im Gesammtproduct) ← "im" 다음에 "불변자본"(Capital constant)이라고 썼다가 곧바로 지웠음.

*81 (v) 1861~63년 초고 가운데 제1노트의 뒤표지에는 많은 계산과 함께 제7노트와 관련된 아래와 같은 표가 기록되어 있다.

		노동일				부가된 노동
A. 불변자본	=	2	(생산물	=	3 노동일)	1
B.	=	4	(생산물	=	6 노동일)	2
C)	=	12	(생산물	=	18)	6
D)	=	36	(생산물	=	54)	18

E.	=	108	(생산물	=	162)	54
F.	=	324	(생산물	=	486)	162
		486				243

여기에 다음과 같은 합계를 덧붙여놓았다(G413쪽 표를 보라).

486
243
729

82 (v) "**합계**" ← "총생산물"

83 (k) "486" — 자필 원고에는 "480"으로 되어 있음.

84 (v) "새로" — 새로 삽입된 것.

85 (k) "486" — 자필 원고에는 "480"으로 되어 있음.

86 (v) 여기에 "주장함으로써만"이라고 썼다가 곧바로 지웠음.

87 (v) "총생산물" ← "생산물"

88 (e) 여기에서 마르크스는 "B"와 "C"의 표기를 앞서 G410쪽까지에서와 같은 의미로 사용한다. 여기에서 마르크스는 두 생산영역에서 각각 새로 부가되는 노동이 1노동일이라는 점을 주목한다. 생산영역 A, B, C에서 새로 부가되는 노동의 합계는 3노동일이며 그것은 곧 생산영역 A에서 대상화된 노동량과 동일하다.

89 (e) 마르크스가 여기에서 사용한 B와 C의 기호는 두 생산영역을 가리키는 의미가 더는 아니다. 만일 그것이 생산영역을 가리키는 의미라면 이들 두 생산영역의 생산물은 6노동일에 불과해야 하는데 여기에서 문제가 되는 것은 18노동일이기 때문이다. 마르크스는 또한 이들 표기를 B^{1-2}, C^{1-6}의 의미로도 사용하지 않는다(마르크스에게서 B^{1-2}는 2개의 생산영역, C^{1-6}는 6개의 생산영역을 의미하고 이들 8개 생산영역의 총생산물은 24노동일이 될 것이다). 여기에서 마르크스가 생각하는 것은 6개의 생산영역(따라서 그 생산물은 18노동일이며, 이들 생산물은 바로 똑같이 18노동일을 이루는 D^{1-18}의 새로 부가된 노동과 교환되어 판매될 수 있다)으로 이루어진 하나의 그룹이다.

90 (v) 여기에 "C^{1-162}"라고 썼다가 곧바로 지웠음.

91 (k) "F^{1-162}," — 자필 원고에는 쉼표가 빠져 있음.

92 (v) 여기에 "A-G"라고 썼다가 곧바로 지웠음.

93 (e) 이 단락의 모든 그룹에서 마르크스는 생산영역의 숫자를 앞부분 생산영역들의 숫자의 합계보다 2배로 계산하고 있다. 즉 18개 생산영역을 포괄하는 D^{1-18} 그룹에는 C^{1-6}보다 2배의 생산영역들이 포함되어 있다(A = 1개의 생산영역, B^{1-2} = 2개의 생산영역, C^{1-6} = 6개의 생산영역, 합계 9개의 생산영역). 그래서 마르크스는 D^{1-18} 표기 다음에 괄호로 2×9라고 쓰고 있다.

94 (v) "부가되는" ← "존재하[는]"

95 (k) "1 : 2" — 자필 원고에는 "1 : 3"으로 되어 있음.

96 (v) "2배의 새로운 생산영역" ← "1개의 새로운 생산영역"

97 (v) "B^{1-2}, C^{1-6}" — "1-2", "1-6"은 새로 삽입된 것.

98 (v) "G" — 새로 삽입된 것.

99 (v) "생산물의 총가치에서 소득의 가치를 뺀 나머지 부분" ← "생산물의 총가치에서 소득의 가치를 초과하는 부분" ← "생산물의 총가치에서 소득의 가치를 뺀 나머지 부분"

100 (v) "생산물" ← "자본"

101 (k) "1 : 2" — 자필 원고에는 "1 : 3"으로 되어 있음.

102 (k) "32" — 자필 원고에는 "26"으로 되어 있음.

103 (k) "그들에게"(ihnen) — 자필 원고에는 "ihr"로 되어 있음.

104 (v) "임금과 이윤" ← "소득"

105 (v) "$\frac{2}{3}$" — 새로 삽입된 것.

106 (v) "애덤 스미스가 자신의 저작에서 … 얼마나 자주"(Wie oft A. Smith im Verlauf …) ← "애덤 스미스가 자신의 저작 곳곳에서 얼마나 자주"(Wie sehr A. Smith überall …)

107 (v) "그중 일부는" — 새로 삽입된 것.

(k) "그중 일부는"(Einen Theil davon) — 자필 원고에는 "Einen Theil für davon"으로 되어 있음.

108 (e) 데이비드 리카도, 『경제학과 과세의 원리』, 런던, 1821년, 제1장 "가치에 대하여" 제1절.

109 (v) "상품가격" ← "상품가치"

110 (v) "많은 공산품" ← "상품들"

111 (k) 이 문장의 끝부분은 "aus(…)"로 되어 있는데 자필 원고에는 "aus" 다음에 마침표가 있음.

112 (k) 자필 원고에는 닫는 괄호가 없음.

113 (k) "가르니에" — 자필 원고에는 "애덤 스미스"로 되어 있음.

114 (e) "스미스가 여기에서 기업가로 … 모든 담당자들을 의미한다" — 가르니에의 원문에는 다음과 같이 되어 있음. "(1) 이 **상인**이라는 말은 여기에서 일반적으로 … 한 나라 안에서 … 상인, 제조업자, 수공업자 같은 사람들을 포괄하는 의미로 이해하는 것이 좋다."

115 (e) "서로 다른 기업가들 사이에서 … 소비자에게 판매하기 위한 것이기 때문이다." — 강조는 마르크스가 한 것.

116 (v) "나중에"의 표현을 "im Fortgang" ← "spät[er]"

117 (e) G431~G432쪽과 G571~G573쪽을 보라.

118 (v) "아마포를 방직하는 생산영역"의 표현을 "Leinenweberei" ← "Leinwandweberei"

119 (v) 여기에 "자본"(capit[al])이라고 썼다가 곧바로 지웠음.

120 (v) "사용가치" ← "교환[가치]"

121 (v) 다음에 "방직업자가 24시간에"(Kauft der Weber für 24)라고 썼다가 곧바로 지웠음.

122 (v) "판매" ← "교환"

123 (v) 다음에 "가축 등으로"(, Vieh etc. auf.)라고 썼다가 곧바로 지웠음.

124 (v) 여기에 다음과 같이 썼다가 나중에 지웠음. "즉 1년의 경작기간 동안에 그만한 양의 노동시간이 부가되었다. 그러므로 총생산물은 그만한 양의 노동시간과 동일하다."

·125 (v) 여기에 다음과 같이 썼다가 나중에 지웠음. "유통에 들어가고 또한*1) 소비에도 들어가는 생산물 부분은 단지 새로 부가된 노동을 나타낼 뿐이며 〔농기구 등의 마모분을 공제하고〕*2), 위에서 생각한 항목들로만, 즉 임금, 이윤, 지대로만 분해된다."

*1) 다음에 "따라서"라고 썼다가 지웠음.

*2) 다음에 "제외하고,"(, mit Ausnahme)라고 썼다가 나중에 지웠음.

·126 (v) 여기에 다음과 같이 썼다가 나중에 지웠음. "따라서 방직업자의 불변자본은 방적업자와 방직기 제조업자의 부가된 노동과 아마 재배업자와 방적기 제조업자의 부가된 노동, 그리고 철과 목재 생산업자의 부가된 노동으로 분해된다."

127 (k) "아마포(…)의"(ihrer) — 자필 원고에는 "seiner"로 되어 있음.

·128 (v) 여기에 다음과 같이 썼다가 곧바로 지웠음. "방적업자와 방직기 제조업자는(그는 동시에 방직기 제조업자라고 하자) $\frac{1}{3}$의 노동을 부가해야 하고 그들의 불변자본은 실과 방직기로 이루어진 $\frac{2}{3}$의 노동과 동일하다. 따라서 그들은 그들의 총생산물을 보전할 8엘레의 아마포(혹은 24시간,*1) 혹은 24실링) 가운데 $\frac{8}{3}$엘레(즉 $2\frac{2}{3}$엘레)의 아마포(혹은 8시간의 노동, 혹은 8실링)를 소비한다. 그러면 이제 남는 것은 $5\frac{1}{3}$엘레(혹은 16시간의 노동)이다. 방적업자의 불변자본은 아마와 방적기계(석탄 등은 여기에서 무시한다)로 분해되는데, $\frac{1}{3}$

의 노동은 원료(즉 아마 = $\frac{16}{3}$시간의 노동 = $5\frac{1}{3}$시간의 노동 혹은 $\frac{17/3}{3}$ = $\frac{17}{9}$엘레 = $1\frac{8}{9}$엘레)로 분해된다. 아마 재배업자는 이것을 모두 구매할 수 있는데 왜냐하면 그는 적어도 자신의 불변자본을 종자에 관한 한(잠정적으로 그의 고정자본인 작업도구는 무시하기로 한다) 스스로 보전하기 때문이다. 즉 그는 그것을 자신의 생산물에서 곧바로 공제하기 때문이다.*2) 따라서 계산은 $5\frac{2}{3}$-$1\frac{8}{9}$엘레(혹은 16-$5\frac{1}{3}$시간의 노동)가 된다. $5\frac{2}{3}$엘레= $\frac{17}{3}$ = $\frac{51}{9}$이다. 따라서 $\frac{51}{9}$-$\frac{17}{9}$ = $3\frac{7}{9}$ 엘레이다(혹은 $10\frac{1}{3}$시간의 노동). 방적기계의 경우").

*1) "혹은 24시간" — 새로 삽입된 것.

*2) 다음에 "그것의 마모분조차도"라고 썼다가 곧바로 지웠음.

129 (k) "$5\frac{1}{3}$" — 자필 원고에는 "$5\frac{2}{3}$"로 되어 있음.

130 (v) "방직기 제조업자" — 새로 삽입된 것.

131 (v) 다음에 "이 불변자본은 방적기와 아마로 분해된다"라고 썼다가 곧바로 지웠음.

132 (v) "등" — 새로 삽입된 것.

133 (v) "재생산" ← "생산"

134 (k) "$5\frac{1}{3}$" — 자필 원고에는 "$5\frac{2}{3}$"로 되어 있음.

135 (e) 앞부분의 계산에 의하면 $5\frac{1}{3}$엘레의 아마포는 방적업자와 방직기 제조업자의 불변자본 총액을 나타낸다. 따라서 출발점이 되는 아마 재배업자의 몫으로는 $5\frac{1}{3}$엘레가 아니라 그보다 더 적은 양의 아마포를 상정해야만 한다. 이하에서 마르크스는 이 점을 바로잡고 방적업자의 불변자본을 통틀어 단지 4엘레의 아마포라고 가정한다.

136 (v) 다음에 "$\frac{17}{3}$엘레의 $\frac{2}{3}$ = $2\frac{17}{9}$(혹은 $\frac{16}{3}$·2시간의 노동.) 2·$\frac{17}{3}$엘레 $\frac{51}{3}$엘레 = $11\frac{1}{3}$"의 계산을 썼다가 곧바로 지웠음.

137 (k) "$3\frac{5}{9}$" — 자필 원고에는 "$3\frac{7}{9}$"로 되어 있음.

138 (k) "$5\frac{1}{3}$-$3\frac{5}{9}$" — 자필 원고에는 "$5\frac{2}{3}$-$3\frac{7}{9}$"로 되어 있음.

139 (k) "$1\frac{7}{9}$" — 자필 원고에는 "$1\frac{8}{9}$"로 되어 있음.

140 (k) "$1\frac{7}{9}$" — 자필 원고에는 "$1\frac{8}{9}$"로 되어 있음.

141 (v) "방직기 제조업자의 불변자본" ← "방직기 제조업자의 총생산물" ← "일부는 방직기 제조업자의 불변자본"

142 (v) "의 총생산물" — 새로 삽입된 것.

143 (v) "이 두 사람은 같은 사람이어야 한다." — 새로 삽입된 것.

144 (v) "1시간의 노동 = … = 3실링" — 이 수식은 초고 286쪽의 위쪽 가장자리에 있던 것인데 새로 삽입된 것.

145 (v) "방직기" ← "기계"(Maschin[erie])

146 (v) 이어서 다음과 같이 썼다가 나중에 지웠음. "다른 한편 기계 제조업자의 $\frac{4}{3}$엘레*1)에는 그의*2) 목재와 철, 석탄*3) 등, 요컨대 기계의 소재를 나타내는 것들이 $\frac{2}{3}$*4) … 기계의 원료와 $\frac{1}{3}$의 부가된*5) 노동"

*1) "$\frac{4}{3}$" ← "$\frac{2}{3}$"

*2) "그의"(sein) ← "d."

*3) "철, 석탄" ← "철"

*4) "$\frac{2}{3}$" ← "$\frac{1}{3}$". 다음에 알아볼 수 없는 단어를 둘 썼다가 모두 곧바로 지웠음.

*5) "부가된"의 표현을 "zugesetzt" ← "zugesetzter"

147 (v) 이어서 다음 문장을 썼다가 곧바로 지웠음. "따라서 아마 재배업자의 불변자본 가운데 기계 = 1엘레(3실링, 3시간의 노동)"

148 (v) "$\frac{1}{3}$" ← "$\frac{1}{4}$"

149 (v) "$\frac{1}{3}$" ← "$\frac{1}{4}$"

150 (v) 이어서 다음과 같이 썼다가 곧바로 지웠음. "$2\frac{2}{3}$엘레 혹은 = $\frac{8}{3}$엘레의 $\frac{x}{x}$*1) -$\frac{8}{3}$엘레의 $\frac{2}{3}$

혹은 $\frac{14}{9}=1\frac{5}{9}$엘레". 이어서 다음과 같이 썼다가 곧바로 지웠음. "따라서 *2)여기에서 기계가 $\frac{1}{3}$, 부가된 노동이 $\frac{2}{3}$(원료 등에는 아무것도 없으므로)라고 가정한다면 $\frac{14}{9}$엘레 가운데 $\frac{2}{3}$는 부가된 노동을 보전하고 $\frac{14}{9}$엘레 가운데 $\frac{1}{3}$은 기계를 보전한다. 따라서 $\frac{14}{27}$엘레가 *3)다시 기계를 위한 보전분으로 *4)남게 된다. 그래서 우리는 계산이 이루어져야 할 두 항목이 남아 있다는 것을 보게 되는데 이들 두 항목은 모두 기묘한 모습을 띠고 있다.

첫째 기계 제조업자는 자신의 작업기계의 마모분을 스스로 부담해야만 한다."

*1) 이 분수는 알아볼 수 없음.

*2) 여기에 알아볼 수 없는 글자를 썼다가 나중에 지웠음.

*3) 여기에 "E"라고 썼다가 나중에 지웠음.

*4) 여기에 "D"라고 썼다가 나중에 지웠음.

151 (k) "$2\frac{2}{3}$엘레" — 자필 원고에는 "$2\frac{2}{3}$엘레 혹은 $2\frac{2}{3}$엘레"로 되어 있음. 빠뜨리고 지우지 못한 듯함.

152 (v) "철과 목재의 생산자 … 원료는 포함되지 않는다." — 이 문장 전체가 새로 삽입된 것.

153 (v) 다음에 "**총생산물.**"이라고 썼다가 곧바로 지웠음.

154 (k) "기계"(Maschinerie)의 정관사 "die" — 자필 원고에는 "das"로 되어 있음.

155 (v) 다음에 "새로 부가된 노동"이라고 썼다가 곧바로 지웠음.

156 (v) 다음에 "불변자본과 … 사이의 상이한 비율"이라고 썼다가 곧바로 지웠음.

157 (v) "비율이 이렇다면"(sich so verhält) ← "포함되어 있다면"(enthalten ist)

158 (v) "어떤"(ein bestimmten) ← "각"(jeder)

159 (k) "구매)되는" — 자필 원고에는 "판매)되는"으로 되어 있음.

160 (k) "판매될" — 자필 원고에는 "보전될"이라고 되어 있음.

161 (v) "다른"(eines andren)에서 "eines" ← "dieses"

162 (v) "빵" ← "곡물"

163 (k) "1파운드 4실링" — 자필 원고에는 "2파운드스털링"이라고 되어 있음.

164 (v) "그 생산물을 통해 소비된 불변자본의 가치에"(der = dem Werth des in ihm consumirten capital constant) ← "그 생산물을 통해 소비된 불변자본에"(der = dem in ihm consumirten capital constant)

165 (v) "가치" — 새로 삽입된 것.

166 (v) "자신의 생산물 가운데 자신의 불변자본을 나타내는 부분" ← "생산물 가운데 자신의 불변자본을 나타내는 자신의 부분"

167 (v) "이제 부분적으로 이미 해결되었다" ← "이제 해결[되었다]"

168 (v) "소비" ← "생산"

169 (v) "그 밖에 윤활유나 석탄 등의 온갖 보조재료도" ← "윤활유나 석탄 등의 온갖 것들을"

170 (v) "8" ← "24"

171 (v) "아마포" ← "실"

172 (v) "3)" — 새로 삽입한 것.

173 (k) "부분은"(Theil,) — 자필 원고에는 쉼표가 없음.

174 (v) 이어서 다음과 같이 썼다가 곧바로 지웠음. "*불변자본에서 원료와 기계가 $\frac{3}{4}:\frac{1}{4}$의 비율을 이루고 있다고 가정한다면 아마 재배업자는 $\frac{3}{4}$을 가지고 $\frac{1}{4}$을 보전할 것이다"

*여기에 알아볼 수 없는 글자가 있음.

175 (v) "방적기" ← "기계"

176 (v) "경작기계" ← "불변자본"

177 (v) "원료" ← "재료"

178 (k) "$\frac{\frac{2}{3}}{12}$" — 자필 원고에는 "$\frac{\frac{1}{3}}{12}$"로 되어 있음.

179 (v) “$\frac{3}{4}$” ← “$\frac{2}{3}$”

180 (v) “$\frac{1}{4}$” ← “$\frac{1}{3}$”

181 (v) “가치” — 새로 삽입된 것.

182 (k) “$\frac{19}{12}$(혹은 $1\frac{7}{12}$)엘레” — 자필 원고에는 “$\frac{16}{12}$(혹은 $1\frac{4}{12} = 1\frac{1}{3}$)”로 되어 있음.

183 (v) “혹은 불변자본으로 분해되는 노동을 제외하고” — 새로 삽입된 것.

184 (v) 이 표 다음에 다음과 같이 썼다가 곧바로 지웠음. “이 $4\frac{1}{12}$엘레(=$12\frac{1}{4}$실링=$12\frac{1}{4}$시간의 노동) 가운데 $\frac{2}{3}$*1)는*2) 노동에, $\frac{2}{3}$는 불변자본에 돌아간다. 따라서 $\frac{4}{3}$에 노동(이윤과 임금)의 몫인 $\frac{1}{36}$*3)을 합하여 $1\frac{1}{3} + \frac{1}{36} = 1\frac{39}{108}$엘레가 소비된다.”

*1) “$\frac{2}{3}$” ← “$\frac{1}{3}$”

*2) 다음에 “원료에”라고 썼다가 곧바로 지웠음.

*3) “$\frac{1}{36}$” ← “$\frac{1}{24}$”

185 (v) 여기에 “그중 사실상 이미”라고 썼다가 곧바로 지웠음.

186 (k) “$2\frac{8}{12}$” — 자필 원고에는 “$2\frac{7}{12}$”로 되어 있음.

187 (v) “전체 문제 가운데 일부는 다음과 같은 방식으로 풀렸다.” ← “따라서 전체 문제는 다음과 같이 귀결된다. (부분적으로 그것은 …”

188 (v) “스스로” — 새로 삽입된 것.

189 (v) 다음에 “그의 불[변]자본”이라고 썼다가 곧바로 지웠음.

190 (k) “들어가는”(eingeht) — 자필 원고에는 “eingehn”으로 되어 있음.

191 (v) “새로 부가된 … 총노동은 … 지출된다” ← “새로 부가된 노동은 … 분해된다”

192 (v) “가치 총액” ← “총액”

193 (v) “새로 부가된 노동” ← “가변자본”

194 (v) 다음에 “이들 가치구성요소들의 총액은 … 해야만 한다”라고 썼다가 곧바로 지웠음.

195 (v) 초고 295쪽 15~35행의 오른쪽 가장자리에 다음과 같은 마르크스의 계산이 남아 있는데 이것은 해당 쪽의 사례로 삽입된 것이거나 수정하기 위해 사용된 것으로 보인다.

12	120	240	120	96	120	120	120	216
8	108	24	12	24	x*	12	96	12
96	228	216	108	120		108	216	228
						12		
						96		

* x: 알아볼 수 없는 숫자.

196 (v) “생산물”의 표현을 “Ackerbauproducts” ← “Naturproducts”

197 (v) “그는 다른 농부로부터 예컨대 12쿼터의” ← “다른 농부는 1쿼터의”

198 (k) “108쿼터” — 자필 원고에는 “11쿼터”로 되어 있음. 위의 주 195를 보라.

199 (k) “228쿼터” — 자필 원고에는 “23쿼터”로 되어 있음. 위의 주 195를 보라.

200 (k) “216쿼터” — 자필 원고에는 “22쿼터”로 되어 있음. 위의 주 195를 보라.

201 (v) “동일한 가치액의 자본으로” ← “그것이 자본으로”

202 (v) “중간 단계의 생산과정” ← “선행 [단계]”

203 (v) “ 생산물의 대부분은 … 들어간다”의 표현을 “geht von den Producten” ← “da von dem Product” ← “und wovon”

204 (e) G431쪽 35~37행(본문 153쪽 3~4행 — 옮긴이)을 보라.

205 (v) 다음에 “소비재의 나머지 부분”이라고 썼다가 곧바로 지웠음.

206 (v) “불변자본”의 표현을 “constanten Capitals” ← “constantes Capital”

207 (v) “그들은 다시 자신들의 불변자본의 생산자들에게 … 지불한다.” ← “그들은 다시 그들의 불변자본을 보전한다.”

208 (v) "가치구성 부분으로" ← "가치에 따라"
209 (v) "(씨앗, 가축, 비료 등)" — 새로 삽입된 것.
210 (v) "모든 형태의" — 새로 삽입된 것.
211 (v) "농업(여기에는" ← "농업,"
212 (k) "과거"(präexistirenden) — 자필 원고에는 "präexistirender"로 되어 있음.
213 (k) "소비된"(consumirten) — 자필 원고에는 "consumirter"로 되어 있음.
214 (v) 다음에 행을 바꾸고 "…과는 구별되는"(Im Unterschied v.)이라고 썼다가 곧바로 지웠음.
215 (v) 다음에 "Prod"라고 썼다가 곧바로 지우고 이어서 "다른 산업의 소비재"라고 썼다가 곧바로 지웠음.
216 (k) "철, 목재, 석탄 등의 원료"(der Rohstoff, Eisen Holz Kohlen) — 자필 원고에는 "der Rohstoff u. d. Kohlen, (Eisen Holz Kohlen"으로 되어 있음.
217 (v) 여기에 "원료"(Rohmater[ial])라고 썼다가 곧바로 지웠음.
218 (v) "자신들의 불변자본 가운데 일부를" ← "자신들의 불변자본을"
219 (v) "사용된" — 새로 삽입된 것.
220 (v) 다음에 "löst"라고 썼다가 곧바로 지우고, 이어서 "기계 제조업자에게 그의 기계 가격으로 이미 아마포를 통해 지불한 것인데, 그것은 두 부분으로 분해된다"라고 썼다가 곧바로 지웠음.
221 (v) "자신의" — 새로 삽입된 것.
222 (k) "그것은"(er) — 자필 원고에는 "sie"로 되어 있음.
223 (v) 다음에 "가치"(d. Werth)라고 썼다가 곧바로 지웠음.
224 (v) "마모된 기계" ← "마모분"
225 (e) G402쪽 12~14행에 관한 해설(부속자료 34쪽 주 13 — 옮긴이)을 보라.
226 (v) 다음에 행을 바꾸고 "건축물의 경우에는 이것이 서로에게 똑같이 해당된다"라고 썼다가 곧바로 지웠음.
227 (v) 다음에 "xx 가치구성 부분과"라고 썼다가 곧바로 지웠음.
228 (v) "생산" ← "소비"
229 (k) "기계 제조업자" — 자필 원고에는 "제철업자"로 되어 있음.
230 (v) 다음에 "이 부분은 그에게도 역시 … 필요하다"라고 썼다가 곧바로 지웠음.
231 (v) "일부" — 새로 삽입된 것.
232 (v) "마모분을 대표하는*" — 새로 삽입된 것.
    * "대표하는" ← "포함하는"
233 (v) "아마포" — 새로 삽입된 것.
234 (v) "목재 등" — 새로 삽입된 것.
235 (v) "매년* 개인적 소비에 들어가는 상품들의 합계를 이루고" ← "개인적 소비에 들어가는 합계에서"
    * "매년" — 새로 삽입된 것.
236 (v) "새로" — 새로 삽입된 것.
237 (k) "발생한다"(findet … statt) — 자필 원고에는 "finden … statt"로 되어 있음.

[생산적 노동과 비생산적 노동의 구별]

1 (e) 이 인용문의 출처는 장-바티스트 세, 『경제학 개론』, 파리, 1817년.

2 (k) "아무런 소득도 갖지 못할"(keine) — 자필 원고에는 "keins"로 되어 있음.
3 (e) 카를 마르크스, 『경제학 비판을 위하여』 제1권, 베를린, 1859년, 42쪽.
4 (v) "노동력" ← "노동자"
5 (v) "1노동일" ← "1일"
6 (k) "노동자" — 자필 원고에는 "노동"으로 되어 있음.
7 (v) "임노동" ← "노동"
8 (e) 이 인용문에서 바턴의 원문과 다른 부분은 다음과 같다.
"유럽 전체에서" ← "영국은 물론 유럽 전체에서"
"이로 인해 고용주들은 노동자들의 고용에 더 많은 유동자본을 사용하고 이는 다시 인구의 증가를 촉진한다." ← "이로 인해 고용주들은 그가 가진 지불수단으로 고용할 수 있는 노동자의 수를 최대한 늘릴 수 있게 되며 이는 그대로 인구가 증가하기에 좋은 상태로 보인다."
9 (v) "노동" ← "생산"
10 (v) "하락함으로써"의 표현을 "herabdrückt" ← "herabsenkt"
11 (e) 이 인용문은 제7노트(런던, 1859~62년), 210/211쪽에서 옮겨 쓴 것. 강조는 마르크스가 한 것.
12 (e) "**이윤과 함께**" — 강조는 마르크스가 한 것.
13 (e) 이 인용문은 제7노트(런던, 1859~62년), 211쪽에서 옮겨 쓴 것.
14 (k) "그것의"(seinem) — 자필 원고에는 "ihrem"으로 되어 있음.
15 (v) "(아직 첫 번째 형태변화를 일으키기 전 단계의)" — 새로 삽입된 것.
16 (v) "기사" — 새로 삽입된 것.
17 (v) "공식 보고서" ← "공장법"
(e) 여기에서 마르크스가 말하고 있는 자료는 "1861년 4월 24일 하원 질의에 대한 보고서"이다(1862년 2월 11일 인쇄). "회사를 구성하는 소유주 혹은 점유자를 제외한 18세 이상 남자의 수 — 관리자, 사무원, 감독자, 기사, 기계공, 기타 공장에 고용된 모든 사람을 포함한다."
18 (v) "일하는 모든 사람" — 새로 삽입된 것.
19 (v) "고용된" ← "사용된"
20 (e) 토머스 맬서스, 『경제학 원리』, 런던, 1836년 — "이 구별은 명백히 애덤 스미스 저작의 주춧돌이자 그의 전체 추론을 받쳐주고 있는 토대로 간주되어야 한다. 만일 이것을 부인한다면 그가 쌓아 올린 상부구조 전체가 무너져버릴 것이다. 물론 그렇다고 해서 그의 추론에 오류가 있음에도 불구하고 그의 추론들이 허물어지지 않으리라는 말은 아니다. 하지만 서로 다른 노동의 종류를 구별하지 않고 『국부론』 — 여기에서 스미스는 생산적 노동의 양과 숙련의 증가가 국민적 풍요와 번영을 만들어내는 핵심 고리라고 말하고 있다 — 의 고매한 견해를 즐기려는 사람들은 모순에 빠져 있는 것처럼 보인다."(44쪽)
21 (v) "(그리고 노동이 과학적 의미에서 임노동으로 전화한다고)" — 새로 삽입된 것.
22 (v) 여러 항목" ← "여러 형태"
23 (v) 다음에 "또한* 스스로 직접 … 하지 않는"이라고 썼다가 곧바로 지웠음.
* "또한" — 새로 삽입된 것.
24 (v) "부분적으로는" ← "한편으로는"
25 (v) "일정한" — 새로 삽입된 것.
26 (v) "만일 임금의 형태로 받은 것보다 더 많은 노동을 … 반면 의류수선 노동자가" ← "자본가를 위해 일한다면, 반면 재단사는 …"
27 (v) "단지" — 새로 삽입된 것.

28 (v) 문단 전체가 새로 삽입된 것.
29 (e) G438쪽 28행(본문 161쪽 첫째 문단 — 옮긴이)을 보라.
30 (v) "생산물의 가치 가운데" ← "생산물 가운데"
31 (v) "… 부분을 이룬다" ← "… 부분이다"; "… 부분이다"의 표현을 "sind" ← "ist"
32 (v) "생산조건" ← "도[구]"
33 (v) "만" — 새로 삽입된 것.
34 (v) "오로지" — 새로 삽입된 것.
35 (v) "구별" ← "규[정]"
36 (e) 이 인용문은 제7노트(런던, 1859~62년), 211쪽에서 옮겨 쓴 것. 강조는 마르크스가 한 것.
37 (k) "…를 위한"(für den) — 자필 원고에는 "auf den"으로 되어 있음.
38 (v) "물적 사용가치" ← "사[용가치]"
39 (v) "생산적" ← "비생[산적]"
40 (v) "노동력" ← "생산능력"
41 (e) 이 인용문은 제7노트(런던, 1859~62년), 212쪽에서 옮겨 쓴 것.
42 (v) "특수한" — 새로 삽입된 것.
43 (v) "피아노 제조업자에게 고용된 노동자" ← "피아노 제조업자의 노동"
44 (k) "생산적 노동자" — 자필 원고에는 "생산적 노동"으로 되어 있음.
45 (k) "비생산적 노동자" — 자필 원고에는 "비생산적 노동"으로 되어 있음.
46 (v) "피아노를 만드는 노동자는 비생산적 노동자에 지나지 않을 것이다" ← "피아노를 만드는 노동자의 노동은 비생산적 노동이다"
47 (v) "교환되었기"의 표현을 "austauscht" ← "auftauscht"
48 (v) "전체" — 새로 삽입된 것.
49 (v) "모든 상품이" — 새로 삽입된 것.
50 (v) "약간의 예외는 있지만 개인적 서비스노동만을" — 새로 삽입된 것.
51 (v) 처음에는 문장을 끝내지 않고 다음에 "…의 형태를 띠지 않는"이라고 썼다가 곧바로 지웠음.
52 (v) 다음에 "또 다른 결정을 하게 된"이라고 썼다가 곧바로 지웠음.
53 (v) "관점" ← "동기" ← "근거"
54 (k) "93~94" — 자필 원고에는 "93~95"로 되어 있음.
55 (e) 이 인용문은 제7노트(런던, 1859~62년), 211, 212쪽에서 옮겨 쓴 것. 강조는 모두 마르크스가 한 것.
56 (e) 이 문단의 강조는 모두 마르크스가 한 것.
57 (v) "그가"의 표현을 "er" ← "sie"
58 (e) 애덤 스미스, 『국부론』, 파리, 1802년.
59 (v) "스미스가 … 빠지는 것을"(daß) ← "스미스가 어떻게 … 빠지는지를"(wie)
60 (k) "… 것"(das) — 자필 원고에는 "die"로 되어 있음.
61 (v) "자신의 생산물가치 부분 = 매년 그 불변자본에 새로 부가한 노동 부분" ← "매년 그 불변자본에 새로 부가한 노동에 해당하는 생산물"
62 (v) "첫 번째" — 새로 삽입된 것.
63 (e) "**가치를 매년 재생산하고 … 보존한다**" — 강조는 마르크스가 한 것.
64 (k) "노동자" — 자필 원고에는 "노동"으로 되어 있음.
65 (e) "**하인의 노동은 … 자신을 고정하고 실현한다.**" — 강조는 마르크스가 한 것.
66 (v) 여기에 "자본주의적 생[산]"이라고 썼다가 곧바로 지웠음.

67 (v) "직접" — 새로 삽입된 것.

68 (v) "사용가치로 사용될"(die als Gebrauchswerthe dienen sollen)의 "die" 다음에 "ihr"라고 썼다가 곧바로 지웠음.

69 (v) "노동자" ← "노동"

70 (k) "노동자" — 자필 원고에는 "노동"으로 되어 있음.

71 (v) "끊임없이" — 새로 삽입된 것.

72 (v) "끊임없이" — 새로 삽입된 것.

73 (v) "당연히" — 새로 삽입된 것.

74 (v) "일정한" — 새로 삽입된 것.

75 (v) 다음에 "gen"이라고 썼다가 곧바로 지우고 "en général, oder wie es vorhin hieß,"(일반적으로 혹은 방금 이야기한 바와 같이,)라고 썼다가 곧바로 지웠음.

76 (v) 다음에 "Engineer in d."(기계공…)라고 썼다가 곧바로 지웠음.

77 (v) "사용가치" ← "물건"

78 (v) "자본가로서" — 새로 삽입된 것.

79 (v) "물적" — 새로 삽입된 것.

80 (k) "그것의"(ihres) — 자필 원고에는 "seines"으로 되어 있음.

81 (v) 다음에 "내가 만일 승마를 즐기기* 위해 말을 구매한다면 그것은 말을 통해 내가 보전받을 수 없는 지출이 될 것이다. 내가 똑같은 말을 …을 위해 구매한다면"이라고 썼다가 곧바로 지웠음.
 * "즐기기" — 새로 삽입된 것.

82 (v) 여기에 "그 사람을 위한 상의를"이라고 썼다가 곧바로 지우고 "sie als Be"라고 썼다가 곧바로 지웠음.

83 (v) "사회" ← "인류"

84 (v) "경제적 형태의" ← "경제적"

85 (v) "돌려준다" ← "제공한다"

86 (v) "서비스노동자" ← "그들"(sie)

87 (v) "이른바" — 새로 삽입된 것.

88 (v) "물적" ← "소재[적]" — 새로 삽입된 것.

89 (k) "현존재가"(Dasein … erhalten) — 자필 원고에는 "Dasein … enthalten"으로 되어 있음.

90 (v) "가치구성 부분으로 상품에 들어가지도 않는" — 새로 삽입된 것.

91 (v) "부분적으로" — 새로 삽입된 것.

92 (v) "유용한" ← "물적인"

93 (v) "단지" — 새로 삽입된 것.

94 (v) "노동대중"의 표현을 "der Masse der workingmen" ← "der Masse der labou[rers]"

95 (v) 다음에 "교환가치의 측면이 아니라"라고 썼다가 곧바로 지웠음.

96 (v) 다음에 "소득"이라고 썼다가 곧바로 지웠음.

97 (v) "부가된" — 새로 삽입된 것.

98 (v) "…의 노동" — 새로 삽입된 것.

99 (e) "**실질소득**" — 강조는 마르크스가 한 것.

100 (k) "531~33" — 자필 원고에는 "531~32"로 되어 있음.

101 (v) "상품과 상품 간의 모든 교환과 마찬가지로 여기에서도 등가와 등가가" ← "상품 각각의 교환의 경우와 마찬가지로 등가가, 그와 반대로"

102 (e) 이 인용문에서 강조는 모두 마르크스가 한 것.

103 (k) "533" — 자필 원고에는 "535"로 되어 있음.

104 (e) 이 인용문에서 강조는 모두 마르크스가 한 것.
105 (v) "기후"의 표현을 "season" ← "Jahreszeit"
106 (v) "특별히" — 새로 삽입된 것.
107 (v) 다음에 "Dieß kann aber nur statt"(그러나 이것은 오로지 …을 대신할 때에만 가능하다)라고 썼다가 곧바로 지웠음.
108 (v) "노동자 수"(Arbeiterzahl) ← "노동 수"(Arbeitszahl)
109 (e) MEGA② II/3.1, 268~70쪽을 보라.
110 (e) G347쪽 27~29행에 관한 해설(부속자료 19쪽 주 55 — 옮긴이)을 보라.
111 (e) "그런데 공업과 … 따라서 등등." — 스미스의 원문에는 다음과 같이 되어 있음. "다른 어떤 업종보다 농업에 우선권을 부여하고 그를 위해 제조업과 외국무역에 막대한 제약을 부과하는 체제는 그것이 원래 의도했던 것과는 반대의 효과를 유발하고 농업의 발전을 오히려 가로막는 결과를 가져온다."
112 (v) ""상품을" 생산하지 "않는"" ← ""상품을" 생산하지 않는"
113 (e) G447쪽 41행~G448쪽 2행(본문 171쪽 13~15행 — 옮긴이)을 보라.
114 (v) "(혹은 물화, 즉 실현)" ← "(혹은 물화)"
115 (v) "본래의" — 새로 삽입된 것.
116 (v) 다음에 "노동의 생산물"이라고 썼다가 곧바로 지우고 "… 물적 사용가치"라고 썼다가 곧바로 지웠음.
117 (v) "…을 나타낼 뿐이다" ← "…으로 나타날 뿐이다"
118 (v) "(즉 대상화된 노동)" — 새로 삽입된 것.
119 (k) "나타난다"(erscheint) — 자필 원고에는 "erscheinen"으로 되어 있음.
120 (v) "그 자체" — 새로 삽입된 것.
121 (v) "생산물" ← "물건"
122 (v) "노동" ← "어떤 노동"
123 (v) 여기에 "그것의 생산물은 사용[가치]"라고 썼다가 곧바로 지웠음.
124 (v) 여기에 "비생산적"이라고 썼다가 나중에 지웠음.
125 (v) "지적" — 새로 삽입된 것.
126 (v) 다음에 "대상과 관련하여…"라고 썼다가 곧바로 지웠음.
127 (v) "농업생산물로" — 새로 삽입된 것.
128 (v) 여기에 "사회적"이라고 썼다가 나중에 지웠음.
129 (e) "가치실체에 관한 한, … 사용가치만으로(물질, 소재) 분해된다." — 밑줄을 비롯하여 강조는 모두 마르크스가 한 것.
130 (v) "(즉 유용한 생산물)" ← "(즉 유용한)"
131 (v) "노동" ← "물건"
132 (e) 카를 마르크스, 『경제학 비판을 위하여』, 제1권, 베를린, 1859년.
133 (k) "1843" — 자필 원고에는 "1842"로 되어 있음.
134 (e) "벨기에 아돌프 발렌 합동 인쇄회사"는 1839년과 1843년 다수의 경제학 저작 전집을 『경제학 강의』라는 제목으로 출판했다. 제롬 아돌프 블랑키의 『유럽 경제학의 역사』는 이들 두 판본에 모두 수록되었다. 마르크스는 1843년판을 가지고 있었고 뒤에 나오는 로시의 인용도 이 책에 의존했다. 출판 연도에 대한 혼동(G609쪽을 보라)은 아마도 마르크스가 가지고 있던 책의 표지가 떨어져 나가는 바람에 그가 정확한 연도를 확인할 수 없었던 데에 기인한 것으로 보인다.
135 (v) "(그나마 그중 나은 사람이 시토르흐이다)" — 새로 삽입된 것.
136 (v) "미사여구를 늘어놓는 아마추어 학자" ← "아마추어 학자"

137 (v) "판사, 변호사" — 새로 삽입된 것.

138 (v) "이른바 대다수의 "고급" 노동자 … 는" ← "이른바 대다수의 "고급" 노동 …의 경우"

139 (v) 여기에 "nachgewiesen zu erhalten, daß direkt wie andre"라고 썼다가 곧바로 지웠음.

140 (v) "사회 조직을" — 새로 삽입된 것.

141 (v) 여기에 "성직[자]"라고 썼다가 곧바로 지우고, "판사 그리고"라고 썼다가 곧바로 지웠음.

142 (v) "산업자본가" ← "자본가"

143 (v) "최대한 저렴한 것으로 만들어야 하는" — 새로 삽입된 것.

144 (v) "(혹은 절대주의적)" — 새로 삽입된 것.

145 (v) "이론적으로 부활시키거나" — 새로 삽입된 것.

146 (v) 여기에 "Diese S"라고 썼다가 곧바로 지웠음.

147 (v) "그것은 사실상 … 있다는 것을 보여주는 것이었다." — 이 문장 전체가 새로 삽입된 것.

148 (v) 다음에 "자본주의적 생산과 근대 부르주아 사회가 발전해나간 정도에 따라…"라고 썼다가 곧바로 지웠음.

149 (v) "이런저런"(bald von diesen) — "v. d."로만 표기되어 있음.

150 (v) "생산담당자 … 가운데 일부는 … 규정되었다" ← "생산담당자 … 가운데 일부는 … 바뀌었다"

151 (v) "(예를 들어 케리)" — 새로 삽입된 것.

152 (k) ""꿀벌의 우화"" — 자필 원고에는 책 제목을 표시하는 따옴표(" ")가 없음.
(e) 버나드 맨더빌, 『꿀벌의 우화』. MEGA② II/3.1, 271쪽 14행을 보라.

153 (e) 호라티우스, 『서한집』, 제1편, 제2서한, 27행.

154 (v) "무위도식자는 물론 … 차지하고 있어야만 했던 것이다." — 이 문장 전체가 새로 삽입된 것.

155 (v) 여기에 "물질적 생산의"라고 썼다가 곧바로 지웠음.

156 (v) 여기에 "비물질적 A"라고 썼다가 곧바로 지웠음.

157 (v) 여기에 "소득"이라고 썼다가 곧바로 지웠음.

158 (e) 시스몽디의 원문에는 이 인용문의 앞에 다음과 같은 문장이 있다. "생산적이냐 비생산적이냐 하는 두 개의 명칭 가운데 어떤 것이 더 좋은지를 결정하기는 어렵다. 하지만 이들 두 계급이 서로 구별되는 것은 사실이다. 전자는…"

159 (e) "**처음의 지출이 만들어내는 노동수요에 추가적인 수요를 이룰 것**" — 강조는 마르크스가 한 것.

160 (e) "**노동수요**" — 강조는 마르크스가 한 것.

161 (e) 그레고리 킹, 『영국의 상태와 조건에 대한 자연적·정치적 고찰과 결론』, 런던, 1696년.

162 (e) 이하 인용문에서의 강조는 모두 마르크스가 한 것.

163 (e) 대버넌트의 원문에는 이 부분에 "병들고 노동능력이 없는 사람들, 게으른 거지와 부랑자들"이란 구절이 있음.

164 (k) "23"" — 자필 원고에는 "36"으로 되어 있음.

165 (e) 대버넌트의 원문에는 "**영국**"으로 강조되어 있음.

166 (e) 이 인용문에서 강조는 모두 마르크스가 한 것.

167 (k) "1697" — 자필 원고에는 "1691"로 되어 있음.

168 (k) "변호할"(vertheidigen) — 초고에는 "반박할"(widerlegen)로 되어 있음.

169 (e) 찰스 대버넌트, 『노먼비 후작에게 보내는 편지에 포함된 동인도 무역에 관한 고찰』, 런던, 1696~97년(찰스 대버넌트, 『공공소득과 영국 무역에 대한 논의』, 런던, 1698년, 제2부에 수록). 대버넌트는 한 장(제4강론. 동인도 무역)을 할애하여 자신이 1697년에 발

간한 저작 『동인도 무역에 관한 고찰』을 변론하고 있다. 이 에세이를 언급한 글들에 대한 반론이 이 장에 서술되어 있다. 마르크스의 언급도 이런 의미에서 이해해야 한다. "1845년 7월 맨체스터"라고 기록한 「발췌 노트」에서 마르크스는 이렇게 쓰고 있다. "이 제2부에 부록으로 인쇄되어 있는 것은 위에서 말한 대버넌트의 책을 변론하기 위한 글이다."(18쪽)

매컬럭에 대한 마르크스의 주석과 관련된 부분: 매컬럭은 『국부론』(애덤 스미스, 런던, 1828년)에 부친 서문에서 이렇게 말하고 있다. "물론 『동인도 무역에 관한 고찰』이라는 제목으로 1701년에 출판된 익명의 소책자는 매우 잘 쓴 책으로 보인다." 마르크스는 두 책을 구별하기 위해 이 사실을 언급하고 있다.

170 (k) "생각해서는"(vorstellen) — 자필 원고에는 "설정해서는"(stellen)으로 되어 있음.

171 (e) "금과 은은 한 나라의 재물 혹은 부라고 칭할 수 있는 유일한 물건" — 대버넌트의 원문에는 "금과 은은 (이 저자의 말처럼) **한 나라의 재물 혹은 부라고 칭할 수 있는 유일한 물건**"으로 표기되어 있음.

172 (e) "그것이 금이나 은으로 전화해 있지는 않더라도" — 대버넌트의 원문에는 "**그것이 금이나 은으로 전화해 있지는 않더라도**"로 강조되어 있음.

173 (e) "한 국가의 부" — 대버넌트의 원문에는 "**한 국가의 부**"로 강조되어 있음.

174 (e) "개인과 개인" — 대버넌트의 원문에는 "**개인과 개인**"으로 강조되어 있음.

175 (e) 이 인용문에서 강조는 모두 마르크스가 한 것.

176 (e) 대버넌트의 원문에는 다음과 같이 되어 있음. "화폐의 풍부한 유입과 함께 게으른 성정(오늘날 이것은 **스페인 사람들**의 뿌리 깊은 본성이 되고 말았다)이 그들을 덮쳤다. … 일반 국민은 국가라는 신체의 위장이고 따라서 이 위장이 허약하고 자신의 기능을 제대로 수행하지 못했기 때문에 음식이 많이 들어갔음에도 불구하고 이 음식들은 모두 소화되지 못했다."

177 (v) "(단지 그는 군인도 여기에 포함시키고 있었다)" — 새로 삽입된 것.

178 (e) "이것은 이 나라의 선박 운임이 이웃한 다른 나라보다 저렴해질 수 있는 주된 요인이 된다." — 페티의 원문에는 다음과 같이 되어 있음. "나는 네덜란드 사람들의 선박운임이 이웃한 다른 나라보다 저렴해질 수 있는 주된 요인이 바로 이것이라고 생각한다."

179 (e) ""대체로 물적 존재(혹은 사회적으로 실질적인 쓸모나 가치를 가진 물건)가 아닌 것을 생산하는 종류의 일에 종사하는 사람들"에게 주기 위해 산업자본가 등으로부터 세금을 징수한다면…" — 페티의 원문에는 다음과 같이 되어 있음. "내 말은 만일 이 사람들의 자산을 감소시키면서 세금을 거두어 그 세금을 **먹고 마시고 노래하고 놀고 춤추는** 것 외에는 아무것도 하지 않는 사람들, 혹은 **형이상학**이나 공부하고 아무 쓸모 없는 **공리공론**에나 몰두하는 사람들에게 넘겨주거나, 혹은 아무런 물적 존재도 생산하지 않고 사회적으로 아무런 실질적인 쓸모나 가치도 만들어내지 않는 일에 사람들을 고용한다면…"

180 (e) "생산적 노동에 필요한 사람의 수가 얼마인지를 계산하고 나면…" — 페티의 원문에는 다음과 같이 되어 있음. "다음으로 사회적 노동을 수행할 수 있는 사람이 얼마나 필요한지를 계산해야만 한다. …"

181 (e) "선원 한 사람의 가치는 농부 세 사람의 가치와 같다." — 페티의 원문에는 다음과 같이 되어 있음. "선원 한 사람은 사실상 농부 세 사람이다."

182 (e) 이 문단의 강조는 모두 마르크스가 한 것.

183 (e) 이 인용문에서 강조는 모두 마르크스가 한 것.

184 (e) "기계공이나 방적공이 그들의 일을 배우면서 소비하는 것은 생산적으로 소비되는 것이다." — 밀의 원문에는 다음과 같이 되어 있음. "제니방적기를 만드는 기계공의 노동이 생산적인 것이라면 방적공이 자신의 일을 배우는 시간도 생산적 노동에 해당한다. 이들 두 사람이 소비하는 것은 모두 생산적 소비이다."

185 (v) "약간만 약화시켜서" — 새로 삽입된 것.
186 (k) 자필 원고에는 인용부호(")가 없음.
187 (e) 제14노트에서 마르크스가 만들어놓은 초고 목차에 따르면 존 스튜어트 밀은 패트릭 제임스 스털링 다음에 다루어지게 되어 있었다. 제14노트, 851쪽(MEGA② II/3.4)을 보라.
188 (v) "소책자" ← "팸플릿" ← "책자"
189 (v) "경제학에 대한" — 새로 삽입된 것.
190 (e) 존 스튜어트 밀, 『경제학 원리』, 런던, 1848년.
191 (e) "기계" — 밀의 원문에는 "도구"로 되어 있음.
192 (e) "**그러므로 자본을 보전한다는 말의 의미는 다름 아닌 사용된 노동의 임금을 보전한다는 말이다**." — 강조는 마르크스가 한 것.
193 (v) 다음에 "wäre"라고 썼다가 나중에 지웠음.
194 (v) "사용된" — 새로 삽입된 것.
195 (v) "의 법칙" — 새로 삽입된 것.
196 (e) 밀의 원문에는 이 인용문이 다음과 같은 문장의 … 부분에 해당한다. "그래서 우리는 …라는 리카도의 법칙에 도달한다."(94쪽)
197 (v) "노동자가 수행한 노동 총량 가운데 그에게 임금으로* 선대된 노동량을 초과한 부분이다" ← "노동자가 노동한 노동 총량 가운데 보전된 노동량의 비율에 비례한다"
* "…으로"의 표현을 "in" ← "als"
198 (v) "선대된 자본" ← "분해된 C"
199 (v) "잉여가치율" ← "잉여가치"
(k) "잉여가치율"(sie) — 자필 원고에는 "er"로 되어 있음.
200 (v) "(가변자본+불변자본)" — 새로 삽입된 것.
201 (e) "**임금**" — 강조는 마르크스가 한 것.
202 (e) "도구, 원료, 그리고 건물 등은 … 제조업자의 이윤까지도 함께 보전해야만 한다." — 밀의 원문에는 다음과 같이 되어 있음. "도구, 원료, 그리고 건물 (…) 등이 모두 그 자체 노동생산물이라는 점은 사실이지만 그럼에도 불구하고 … 이들의 가치는 **전부** 그것들을 생산한 노동자들의 임금으로만 분해되지는 않는다. 그 노동자들의 임금은 자본가가 지불하며 그 자본가는 다른 모든 자본가와 동일한 이윤을 자신의 투하자본에 대하여 획득해야만 한다. 따라서 자본가가 도구나 원료를 판매할 때 그는 구매자에게서 그가 지불한 임금을 보전하는 부분뿐 아니라 그것을 훨씬 넘어서 정상 이윤율에 도달할 만큼을 받아내야만 한다. … 그는 생산물 가운데 자신과 도구 제조업자가 지불한 임금은 물론 자신의 투하자본에 대한 이윤과 도구 제조업자의 이윤까지도 모두 보전할 수 있는 부분을 따로 확보해야만 한다."
203 (e) "**이윤**" — 강조는 마르크스가 한 것.
204 (e) "**잉여**" — 강조는 마르크스가 한 것.
205 (e) "그럼에도 불구하고 이윤율이 임금의 생산비에 반비례한다는 사실에는 변함이 있을 수 없다." — 밀의 원문에는 "따라서 이윤율이 임금의 생산비에 반비례한다는 사실은 틀림없는 사실이다"로 되어 있음.
206 (e) 이 인용문에서 강조는 모두 마르크스가 한 것.
207 (v) 다음에 "scheinen"(…처럼 보인다)이라고 썼다가 곧바로 지웠음.
208 (e) MEGA② II/3.1, 216~18쪽을 보라.
209 (v) 다음에 "가치"라고 썼다가 곧바로 지웠음.
210 (v) "객관적으로" — 새로 삽입된 것.
211 (k) "생산하는"(produciren) — 자필 원고에는 "producirt"로 되어 있음.

212 (k) "생산하는"(macht,) — 자필 원고에는 쉼표가 없음.
213 (v) "최종 자본가가" — 새로 삽입된 것.
214 (k) "이루는"(bildet) — 자필 원고에는 "bilden"으로 되어 있음.
215 (v) "지불되든" — 새로 삽입된 것.
216 (v) "지불되든" — 새로 삽입된 것.
217 (k) "분해되는"(auflöst,) — 자필 원고에는 쉼표가 없음.
218 (v) 여기에 "이윤"이라고 썼다가 곧바로 지웠음.
219 (e) G467쪽 35~40행(본문 193쪽 19~24행 — 옮긴이)을 보라.
220 (v) "**잉여**의 비율" ← "**잉여**"
221 (v) "… 뿐 아니라"(nicht nur)의 "nur" 다음에 "direkt"(곧바로)라고 썼다가 곧바로 지웠음.
222 (e) G467쪽 35~40행(본문 193쪽 19~24행 — 옮긴이)을 보라.
223 (v) 다음에 "맞는 말이긴 하지만"이라고 썼다가 곧바로 지웠음.
224 (e) 존 스튜어트 밀, 『논리학 체계』, 런던, 1843년.
225 (e) 이 인용문에서 강조는 모두 마르크스가 한 것.
226 (e) "이윤이 50퍼센트라고 가정한다면 종자와 농기구는 40명의 노동자들이 생산한 생산물로 분해되어야 할 것이다. 왜냐하면 이들 40명의 노동자들이 받는 임금이 이윤과 더해져서 60쿼터를 이룰 것이기 때문이다." — 밀의 원문에는 다음과 같이 되어 있음. "만일 종자와 농기구의 가격을 그 구성요소들로 분해한다면 그것들은 40명의 노동생산물이 되어야만 할 것이다. 왜냐하면 이들 40명의 임금은 앞서 가정한 이윤율(50퍼센트)과 함께 60쿼터를 이룰 것이기 때문이다."(99, 100쪽)
227 (e) "이제 만일 노동자 수는 그대로이지만 어떤 발명이 이루어져서 고정자본과 종자가 필요 없게 되었다고 하자." — 밀의 원문에는 다음과 같이 되어 있음. "이제 어떤 발명이 이루어져서 어떤 고정자본의 도움 없이도 혹은 어떤 종자의 소비도 없이 동일한 양의 생산물을 얻을 수 있게 되었다고 가정해보자."(100쪽)
228 (v) "이전과" — 새로 삽입된 것.
229 (k) "증가할" — 자필 원고에는 "감소할"로 되어 있음. 인용 원문에는 "risen"으로 되어 있음.
230 (v) "의미한다"의 표현을 "birgt" ← "liegt"
231 (v) "밀의" — 새로 삽입된 것.
232 (v) "노동" ← "노동자"
233 (v) "이윤" ← "이윤율" ← "이윤"
234 (v) 여기에 "생산물"이라고 썼다가 곧바로 지웠음.
235 (v) "$\frac{1}{3}$" ← "절반"
236 (v) 다음에 "생산물"(d. Product)이라고 썼다가 곧바로 지웠음.
237 (e) G470쪽 8~14행(본문 195쪽 31행~196쪽 5행 — 옮긴이)을 보라.
238 (v) 여기에 "사실 만일에 그가 첫 번째 자본가의 경우 dxß xx … 라고 가정했다면"이라고 썼다가 곧바로 지웠음. "dxß xx"는 모두 알아볼 수 없음.
239 (k) "10" — 자필 원고에는 "20"으로 되어 있음.
240 (k) "10" — 자필 원고에는 "20"으로 되어 있음.
241 (k) "일치한다"(fielen … zusammen) — 자필 원고에는 "fiel … zusammen"으로 되어 있음.
242 (k) "계산되지"(zu berechnen … waren) — 자필 원고에는 "zu berechnen … war"로 되어 있음.
243 (v) "임금"의 표현을 "Arbeitslohn" ← "Lohn"
244 (v) "이윤율" ← "이윤"
245 (k) "받는"(erhält) — 자필 원고에는 "enthält"로 되어 있음.
246 (k) "받기"(erhält) — 자필 원고에는 "erhalten"으로 되어 있음.

247 (v) "혹은 1년의" — 새로 삽입된 것.

248 (v) 다음에 "불변자본…"(d. capital constant d.)이라고 썼다가 곧바로 지웠음.

249 (v) "명목가치" ← "가치"

250 (v) "이윤율" ← "이윤"

251 (v) "노동시간" ← "시간"

252 (v) "이윤율" ← "이윤"

253 (v) 여기에 "실질"이라고 썼다가 나중에 지웠음.

254 (v) 다음에 "이윤"이라고 썼다가 곧바로 지웠음.

255 (v) 이어서 다음과 같이 썼다가 곧바로 지웠음.

"60쿼터 120 60

10 20 6

100 200

즉 잉여가치율*은(우리는 두 경우 모두 100쿼터에 대해서 계산해야만 한다) 200에서 80으로 즉 120만큼 하락한다."

* "잉여가치율" ← "잉여가치"

256 (k) "$11\frac{1}{9}$" — 자필 원고에는 "$5\frac{5}{9}$"로 되어 있음.

257 (v) "뿐" — 새로 삽입된 것.

258 (v) "곡물"의 표현을 "Korn" ← "Get[reide]"

259 (k) "불변자본" — 자필 원고에는 "고정자본"으로 되어 있음.

260 (v) "총생산물" ← "총지출"

261 (v) 다음에 "Oder d. Profit d. einen"이라고 썼다가 곧바로 지웠음.

262 (v) "1쿼터" ← "쿼터"

263 (v) "1쿼터" ← "쿼터"

264 (v) "이윤율" ← "이윤"

265 (k) "자본가 I에 비해"(als die von I) — 자필 원고에는 "als der von I"으로 되어 있음.

266 (k) "I" — 자필 원고에는 "II"로 되어 있음.

267 (v) "노동일" ← "노동"

268 (k) "$\frac{1}{18}$(혹은 $11\frac{1}{9}$퍼센트)" — 자필 원고에는 "$\frac{1}{18}$(혹은 $5\frac{5}{9}$퍼센트)"로 되어 있음.

269 (v) "사용한" ← "지출한"

270 (v) "자본가 I은" ← "어떤 경우의 자본가는"

271 (v) 여기에 "잉여가치율"이라고 썼다가 곧바로 지웠음.

272 (v) "이윤" ← "이윤율"(Profitrat[e])

273 (v) 이 절에서 "wenn" 다음에 "unter"라고 썼다가 곧바로 지웠음.

274 (e) G470쪽 16~17행(본문 196쪽 6~8행 — 옮긴이)을 보라.

275 (k) "$\frac{10}{18}$" — 자필 원고에는 "$\frac{10}{19}$"으로 되어 있음.

276 (e) G470쪽 17~20행(본문 196쪽 8~10행 — 옮긴이)을 보라.

277 (k) "$\frac{9}{18}$" — 자필 원고에는 "$\frac{9}{10}$"로 되어 있음.

278 (e) G470쪽 20~30행(본문 196쪽 10~19행 — 옮긴이)을 보라.

279 (v) "불변자본" ← "고정자본"

280 (v) 여기에 "고정자본 혹은"이라고 썼다가 곧바로 지웠음.

281 (v) "60쿼터의" — 새로 삽입된 것.

282 (v) "이윤율" ← "이윤"

283 (v) "이윤의 절대치" ← "총이윤"

284 (k) "60" — 자필 원고에는 "90"으로 되어 있음.

285 (k) “불변자본” — 자필 원고에는 “고정자본”으로 되어 있음.

286 (v) 다음에 “d. lebendige”(살아 있는)이라고 썼다가 곧바로 지웠음.

287 (k) “120” — 자필 원고에는 “60”으로 되어 있음.

288 (v) 여기에 “고정자본”이라고 썼다가 곧바로 지웠음.

289 (v) 여기부터 문단 끝까지 [ ]는 종이가 찢어져서 원문이 유실된 것을 MEGA 편집자가 보완한 것이다.

290 (k) “부분”(Theil derselben) — 자필 원고에는 “Theil desselben”으로 되어 있음.

291 (v) 여기에 “잉여가치율”이라고 썼다가 곧바로 지웠음.

292 (v) “총가치” ← “총액”

293 (v) 여기에 “비율”이라고 썼다가 곧바로 지웠음.

294 (v) “자본 I에 비해” — 새로 삽입된 것.

295 (v) “[상승]한다는” — [ ]은 종이가 찢어져서 원문이 유실된 것을 MEGA 편집자가 보완한 부분.

296 (k) “60” — 자필 원고에는 “$33\frac{1}{3}$”로 되어 있음.

297 (v) 여기에 “**반대 방향으로의**”라고 썼다가 곧바로 지웠음.

298 (v) 여기에 “이 반대의 명제로부터 우리는 올바른 것을”이라고 썼다가 곧바로 지웠음.

299 (v) 여기에 “ 반대로부터 …에 대하여”라고 썼다가 곧바로 지웠음.

300 (v) “항상 그런 것은 아니지만” ← “어떤 경우에는”

301 (v) “이치에 맞지 않기 때문에” ← “터무니없기 때문에”

302 (v) “20쿼터를 노동하지 않은 노동자들의 임금으로” ← “20쿼터를 노동하지 않은 노동자들의 몫으로”

303 (v) “사용된” ← “고용된”

304 (v) 여기에 “고정”이라고 썼다가 곧바로 지웠음.

305 (v) 여기에 다음의 표가 있었지만 “불변자본”부터 둘째 줄 마지막의 “60+20쿼터”까지 곧바로 지웠음.

불변자본	노동자 80명에 대한 임금	잉여가치
60+20쿼터(=40노동일)	60+20*1)쿼터 (=40노동일)	60+20쿼터
80(40*2)노동일)	(80노동일)	

*1) “20” ← “80”

*2) “40” ← “20”

306 (v) “잉여가치율” ← “비율”

307 (v) “잉여가치의 절대량” ← “잉여[가치]율”

308 (v) “임금에 지출된 자본 부분의 가치” ← “한 부분의 가치”

309 (v) 여기에 “감소했지만”이라고 썼다가 곧바로 지웠음.

310 (v) 여기에 “반면에”라고 썼다가 곧바로 지웠음.

311 (v) “불변자본 부분”의 표현을 “der constante Bestandtheil” ← “der im constanten”

312 (v) “감소분”이라고 썼다가 곧바로 지웠음.

313 (v) “$\frac{1}{6}$” ← “$\frac{1}{5}$”

314 (v) 다음에 행을 바꾸고 다음과 같이 썼다가 나중에 지웠음. “그러나 우리가 보듯이 이윤율은 60*1)퍼센트로 상승했다. 이것은 잉여가치의 절대량의 증가분에 대한 $33\frac{1}{3}$퍼센트, 투하자본 가치의 감소분에 대한 $16\frac{2}{3}$퍼센트로 분해된다. 합계는 50퍼센트이다. 나머지 10퍼센트는 어디에서 온 것일까?

투하자본이 여전히 120쿼터로 불변일 경우, 잉여가치가 60에서 80으로, 즉 $\frac{1}{3}$ = 33$\frac{1}{3}$퍼센트만큼 증가하면 이윤율은 이전과 같이 50퍼센트가 아니라 66$\frac{2}{3}$[*2)]퍼센트가 될 것이다. 즉 이윤율은 잉여가치가 33$\frac{1}{3}$퍼센트 증가할 때 단지 16$\frac{2}{3}$퍼센트만 증가할 것이다.

잉여가치가 불변이고 투하자본만 120쿼터에서 20쿼터(즉 $\frac{1}{6}$)만큼 감소하면 이윤율[*3)]은 이전의 50퍼센트에서 이제는 60퍼센트가 되고, 따라서 이윤율의[*4)] 과거 액수의 $\frac{1}{5}$은 … 20퍼센트와 같다."

*1) "60" ← "50"

*2) "66$\frac{2}{3}$" ← "36$\frac{2}{3}$"

*3) "이윤율" ← "이윤"

*4) "이윤율의"의 표현을 "ihres" ← "seines"

315 (v) "불변자본" ← "고정자본"

316 (v) "이전이나 지금" — 새로 삽입된 것.

317 (v) "100쿼터(50노동일)" ← "80쿼터(40노동일)"

318 (v) 여기에 "그중 80은 임금으로"라고 썼다가 곧바로 지웠음.

319 (e) 동일한 자본가가 불변자본을 직접 생산하고 가공하는 경우 발생하는 이윤율의 외견상 변동 문제를 마르크스는 이 초고의 535~36쪽과 제10노트, 461~64쪽에서도 다시 다루고 있다(MEGA② II/3.3).

320 (k) "**셋째로**" — 자필 원고에는 "**넷째로**"라고 되어 있음.

321 (v) 다음에 "혹은 상승할 경우에도"라고 썼다가 나중에 지웠음.

322 (v) "잉여가치" ← "이윤"

323 (v) "공장주" ← "방적업자"

324 (v) "두 경우에서 모두" ← "첫 번째 경우"

325 (k) "임금"(Arbeitslohn,) — 자필 원고에는 쉼표가 없음.

326 (v) 여기에 "잉여가치율과"라고 썼다가 곧바로 지웠음.

327 (v) 여기에 "면화의 일부분을"이라고 썼다가 곧바로 지웠음.

328 (v) "(즉 **노동의 가치**)" — 새로 삽입된 것.

329 (k) "소비하는"(consumirt,) — 자필 원고에는 쉼표가 없음.

330 (v) "양"의 표현을 "Quantität" ← "Mass[e]"

331 (v) "면제품의 가격" ← "면제품"

332 (v) "(실질)" — 새로 삽입된 것.

333 (v) "직접" — 새로 삽입된 것.

334 (v) "이야기나" — "…나"에 해당하는 "entweder"는 새로 삽입된 것.

335 (v) 여기에 "동일한"이라고 썼다가 곧바로 지우고 "하나의"라고 썼다가 곧바로 지우고 "자신의 노동가치"라고 썼다가 곧바로 지웠음.

336 (v) "(임금의 생산비는 … 노동한다는 이유로도 상승한다)" — 새로 삽입된 것.

337 (v) 여기에 "임금으로"라고 썼다가 곧바로 지웠음.

338 (v) 여기에 "국민들"이라고 썼다가 곧바로 지웠음.

339 (v) "사용되는 기계" ← "기계"

340 (v) "증가" — 새로 삽입된 것.

341 (v) "시장가격" ← "가치"

342 (k) "상품"(ihr) — 자필 원고에는 "ihn"으로 되어 있음.

343 (e) 이 인용문은 제7노트(런던, 1859~62년), 176쪽에서 옮겨 쓴 것.

344 (e) 제7노트(런던, 1859~62년), 176쪽에서 옮겨 쓴 것.

345 (e) "그의 이야기의 골자는 예를 들어 면화를 가공하는 영국 자본이 예를 들어 미국에서

면화를 재배하는 자본보다 더 급속히 증가한다면" — 토런스의 원문에는 다음과 같이 되어 있음. "영국에서 해외시장을 위한 면제품을 제조하는 데 사용되는 자본이 면제품 생산비용의 증가로 인해 외국에서 원료를 생산하는 데 사용되는 자본에 비해 더 급속히 증가한다면, 수요와 공급의 일반적 법칙에 따라, 그리고 경험적으로 너무나 풍부하게 입증되고 있는 바와 같이"

346 (v) "면사"의 표현을 "Twist" ← "Garn"

347 (v) "면화의 가격" ← "면화"

348 (v) "면제품이 자신의 가치대로 판매된다면" ← "그것이 자신의 가치대로 판매되는 경우에는"

349 (v) "당장의" — 새로 삽입된 것.

350 (k) "이윤율"(sie) — 자필 원고에는 "er"로 되어 있음.

351 (v) 여기에 "감소하는"이라고 썼다가 곧바로 지웠음.

352 (v) "**모든** 부분만큼" ← "부분만큼"

353 (v) "작황(기상 상태)" ← "기상 상[태]"

354 (v) 여기에 "그러나 수요는 증가한다"라고 썼다가 곧바로 지웠음.

355 (k) "노동력 수요"(sie) — 자필 원고에는 "er"로 되어 있음.

356 (v) "급격히" — 새로 삽입된 것.

357 (v) "가치가 하락하면" ← "가치의 하락이"

358 (v) "하락할" ← "줄어들"(verri[ngert])

359 (v) "(12시간) 노동일" ← "(60시간) 노동주(週)"

360 (v) "가치" ← "가격"

361 (v) "방적에 사용된 면화의 가치" ← "면화의 가치"

362 (v) "1등급" — 새로 삽입된 것.

363 (v) "그리고 만일 12시간 가운데 10시간이 필요노동시간이라고 한다면 … 노동할 것이다"라고 썼다가 곧바로 지웠음.

364 (v) 여기에 "첫 번째 경우에는 여전히 7일 수 있지만 두 번째 경우에는"이라고 썼다가 곧바로 지웠음.

365 (v) "두 번째 경우에 더 많은 면사를" ← "첫 번째 경우에 더 적은 면사를" ← "첫 번째 경우에 더 많은 면[사]를"

366 (v) 여기에 "der Werth v."(…의 가치)라고 썼다가 곧바로 지웠음.

367 (v) 여기에 "더 많지 않은"이라고 썼다가 곧바로 지웠음.

368 (k) "더 적은" — 자필 원고에는 "더 많은"으로 되어 있음.

369 (k) "노동자" — 자필 원고에는 "노동"으로 되어 있음.

370 (k) "$5\frac{15}{17}$" — 자필 원고에는 "$\frac{5}{17}$"로 되어 있음.

371 (e) "감소(**증가?**)할" — 밀의 원문에는 "증가할"로 되어 있음.

372 (e) 이 인용문은 G470쪽 31행~G471쪽 2행(본문 196쪽 19~29행 — 옮긴이)을 보라.

373 (v) "예를 들어 … 12시간의" — 새로 삽입된 것.

374 (v) "총노동일" ← "노동일"

375 (k) "사용할"(mit der) — 자필 원고에는 "mit denen"으로 되어 있음.

376 (v) "노동시간" ← "노동시간 가운데"

377 (v) "자체의" — 새로 삽입된 것.

378 (v) "노동일의 길이가 변하지 않고" — 새로 삽입된 것.

379 (v) "임금" ← "노동력"

380 (v) "면화" ← "양모"

381 (v) "…나" — 새로 삽입된 것.

382 (v) "유동자본" 앞에 정관사 "das"를 새로 삽입했음.

383 (v) "…로"(als) — 새로 삽입된 것.

384 (v) "노동재료" ← "원료"

385 (v) "… 으로 보인다" ← "…이다"

386 (v) "(혹은 반대로 상승)" — 새로 삽입된 것.

387 (v) 여기에 "…에 대한 잉여가치의 비율"이라고 썼다가 곧바로 지웠음.

388 (v) "노동시간" ← "노동일"

389 (e) G333쪽 5행에 관한 해설(부속자료 15쪽 아래쪽에 있는 주 3 — 옮긴이)을 보라.

390 (e) "**유일한**" — 강조는 마르크스가 한 것.

391 (v) "뒤집어서"의 표현을 "umgekehrt" ← "verkehrt"

392 (v) "(이것은 … 포함한다)" — 새로 삽입된 것.

393 (v) "자신의 비율" ← "비율"

394 (v) "본래의 **생산과정**" ← "**생산영역**"

395 (v) "잉여가치율은"이라고 썼다가 곧바로 지우고 "이들 요인은 최고의"라고 썼다가 곧바로 지웠음.

396 (v) "살아 있는" — 새로 삽입된 것.

397 (v) 여기에 "노동량을 결정[한다]"라고 썼다가 곧바로 지웠음.

398 (v) "… 해야 한다"(müssen) — 새로 삽입된 것.

399 (v) "노동시" ← "시간"

400 (v) "절대적 크기" — 새로 삽입된 것.

*401 (v) 이어서 다음과 같이 썼다가 곧바로 지웠음. "하지만 가변자본에 대한 잉여가치의 비율은 둘 모두(즉 잉여가치의 절대적 크기와 그것의 비율)를 표현한다.

예를 들어 가변자본[*1)]이 100이고 잉여가치가 똑같이 10이라면 잉여가치율은 $\frac{10}{100}$ =100의 $\frac{1}{10}$이다. 그러나 100의 $\frac{1}{10}$은 10이다. 마찬가지로 가변자본=5000이고 잉여가치=555라면 비율=$\frac{555}{5000}$=5000[*2)]의 $\frac{1}{9+\frac{1}{111}}$ $=11\frac{\frac{5000}{1000}}{111}$이다. 따라서 앞의 잉여가치가 m : v+c라면 동일한 식은 $\frac{m \times v}{v}$ =v+c이다.

m=$\frac{m \times v}{v}$:v+c. $\frac{m}{v}$은 비율이며, $\frac{m}{v} \cdot v$는 비율×m이다.[*3)] 자본 혹은 지불된 노동일의 수, 그것이 곧 비율이다."

*1) "가변자본" ← "자본"

*2) "5000" ← "1000"

*3) "이다" ← "을 의미한다"

402 (v) "잉여가치율이 주어진다면 잉여가치의 절대적 크기는 오로지 … 의존한다." ← "잉여가치율이 주어진다면 오로지 잉여가치의 절대적 크기에만 … 의존하기 때문이다." ← "잉여가치율이 주어질 때 잉여가치의 절대적 크기는 오로지 … 의존하기 때문이다."

403 (v) "예를 들어" — 새로 삽입된 것.

404 (v) "자본가들 사이에서" ← "자본들"

405 (v) "$\frac{v}{v+c}$" ← "$\frac{v}{c+v}$"

406 (v) "잉여율" ← "이윤"

407 (k) "$\frac{10}{20+10}$" — 자필 원고에는 "$\frac{10}{10+20}$"으로 되어 있음.

408 (k) "25" — 자필 원고에는 "20"으로 되어 있음.

409 (v) 여기에 "…의 절반만큼"이라고 썼다가 곧바로 지웠음.

410 (v) "(즉 그것의 가치)" — 새로 삽입된 것.

411 (v) "사용된 원료, 기계 등의 양이 불변일 경우에도 상승 혹은 하락할 수 있다" ← "사용된

자본의 양에도 불구하고 상승할 수 있다"

412 (v) "변동" — "Variation"(단수)으로 썼다가 "Variationen"(복수)으로 고쳐 썼음.

413 (k) "무관하게 이루어진다"(sind unabhängig) — 자필 원고에는 "ist unabhängig"로 되어 있음.

414 (v) "그러나 … **원인**이 무엇이든" ← "그러나 … **원인**은"

415 (v) "불변자본의 생산비" ← "그것"

416 (v) "밀" ← "곡[물]"(Get[reide]) ← "귀리"(Haf[er])

417 (v) "잉여가치에 비례해서가" ← "잉여가치가"

418 (v) "특별히" — 새로 삽입된 것.

419 (v) "생산조건의 이런 변동" ← "이런 생산[조건]"

420 (v) "원면량의 가치" ← "원면의 양"

421 (v) "절대적으로" — 새로 삽입된 것.

422 (v) "불변인"의 표현을 "unverändert" ← "const[ant]"

423 (e) "**자본은 생산력을** 가지고 있지 **않다.**" — 강조는 마르크스가 한 것.

424 (e) "**자본의 생산력**은 다름 아닌 자본가가 자신의 자본을 이용하여 지휘를 할 수 있는 실질적인 생산 지휘권의 양이다." — 밀의 원문에는 다음과 같이 되어 있음. "우리는 이런 이유 때문에 '자본의 생산력'이라는 표현을 깡그리 배척할 필요는 없다. 그러나 우리는 그것이 단지 자본가가 자신의 자본을 이용하여 지휘권을 행사할 수 있는 실질적인 생산력의 양을 의미한다는 점을 유념해야만 한다."

425 (e) "**모든 사람이 중간계급에 속할 수 없다는 것은 분명한 사실이다.**" — 강조는 마르크스가 한 것.

426 (v) "노동자"의 표현을 "der Arbeiter" ← "ein Arbeiter"

427 (e) 이 인용문은 출처를 알아낼 수 없었다.

428 (e) "**만일 그렇게 된다면 … 일부에서 벗어나지 못한다 하더라도**" — 강조는 마르크스가 한 것.

429 (k) "113" — 자필 원고에는 "115"로 되어 있음.

430 (e) 윌리엄 페티, 『조세 및 공납에 대한 고찰』, 런던, 1679년. 애덤 스미스, 『국부론』, 매컬럭 엮음, 에든버러, 1828년, 편집자 서문(30쪽)에서 인용됨. 제7노트(런던, 1859~62년), 213쪽에서 옮겨 쓴 것.

431 (e) "**그 결과**" — 강조는 마르크스가 한 것.

432 (e) "지대" — 페티의 원문에는 "**지대**"로 강조되어 있음.

433 (e) "농민" — 페티의 원문에는 "**농민**"으로 강조되어 있음.

434 (e) "하루" — 페티의 원문에는 "**하루**"로 강조되어 있음.

435 (e) "**밀의 가격이 불변이라고 … 없기 때문인데**" — 강조는 마르크스가 한 것.

436 (e) G465쪽을 보라.

437 (e) "**모든 노동이 생산적**" — 강조는 마르크스가 한 것.

438 (e) "**똑같은 일**" — 강조는 마르크스가 한 것.

439 (v) 여기에 다음과 같은 문장을 썼다가 나중에 지웠음. "그런데 매우 특이하게도 가르니에는 여기에서 부분적으로 다양한 노동자들을 서로 **대립시키고** 있다."

440 (e) "**전적으로 똑같은 종류의 서비스노동**" — 강조는 마르크스가 한 것.

441 (e) "**자신을 고용하는 사람을 위해 그 사람의 물건을 유지하는 데 들어가는 노동을 절약해 준다.**" — 강조는 마르크스가 한 것.

442 (e) G589쪽 34행(본문 330쪽 30행 — 옮긴이)을 보라.

443 (v) "이 분업"의 표현을 "Teilung dieser Arbeitsarten" ← "Teilung dieser Arbeit"

444 (e) "**거대한 사회적 공장의 감독자**" — 강조는 마르크스가 한 것.

445 (e) 가르니에의 원문에는 다음과 같이 되어 있음. "셋째. 왜 나는 나의 미각과 후각을 즐겁게 해주는 케이크업자, 과자업자, 향수업자를 **생산적**이라고 부르면서 내 귀를 즐겁게 해주는 음악가는 **비생산적**이라고 부르는 것일까…"

446 (v) "비생산적"의 표현을 "unproductiv" ← "improductiv"

447 (e) "**동일한 종류의 소비**" — 강조는 마르크스가 한 것.

448 (e) "**생산물**"(*des produits*) — *des*만 마르크스가 강조한 것.

449 (e) "**이 목적을 달성하기 위한 수단**" — 강조는 마르크스가 한 것.

450 (v) 여기에 "생산적"이라고 썼다가 곧바로 지웠음.

451 (k) "노동자" — 자필 원고에는 "노동"으로 되어 있음.

452 (v) 여기에 ""생산적""이라고 썼다가 곧바로 지웠음.

453 (e) "**비생산적**"의 강조를 제외하고 이 인용문에서 강조는 모두 마르크스가 한 것.

454 (e) 이 인용문에서 강조는 모두 마르크스가 한 것.

455 (v) 여기에 "그러나 그것의 가치는 … 아니다"라고 썼다가 "그것의 가치는 … 아니다"를 나중에 잉크로 지웠고 그다음에는 다시 "그러나"도 연필로 지웠음.

456 (v) "가치를 보전한다" ← "생산[물]이다"

457 (v) "하루 노동의 생산물" ← "매일의 생산물"

458 (v) "자본의 전체 구성부분" ← "자본의 총구성[부분]" ← "총자본"

459 (v) 여기에 "그것은 이들 모든 구성부분을 조달한다"(Es liefert jeden* derselben)라고 썼다가 곧바로 지웠음.

* "jeden" ← "jeder"

460 (k) "1 : 2" — 자필 원고에는 "1 : 3"으로 되어 있음.

461 (v) 여기에 다음과 같이 썼다가 곧바로 지웠음. "전체에서 자본이, 즉 동일한 크기 혹은 동일한 양의 노동시간(과거의 노동시간+살아 있는 노동시간)으로 이루어진 자본이 사용된다면"

462 (v) "하루 생산물" ← "각각의 생산물"

463 (v) "불변자본 부분" ← "부[분]"

464 (v) "살아 있는 노동의 **생산물**" ← "살아 있는 노동"

465 (e) 여기까지 마르크스는 사용가치로 간주되는 생산물에 x를, 생산물의 가치에 z를 붙였다. 여기부터 마르크스는 기호 표시를 변경했다. 즉 가치를 x로, 사용가치를 z로 표기하고 있다.

466 (v) "하루의 노동생산물" ← "하루 노동의 생산물"

467 (v) "구성부분" ← "각 부분"

468 (v) "총생산물에 들어가는 것과 똑같은 비율로, 그 총생산물을 이루는 모든 개별 생산물에도" ← "모든 개별 생산물에 들어가는 비율과 마찬가지로 총생산물에도"

469 (k) "하루 노동" — 자필 원고에는 "과거노동"으로 되어 있음.

470 (v) "총생산물" ← "생산물"

471 (k) "화폐가 아니라 상품 … 을 주고 교환한다고"(nicht mit Geld, sondern mit den Waaren gekauft) — 자필 원고에는 "화폐가 아니라 … 상품으로 판매되는"(nicht in Geld, sondern in den Waaren verkauft)으로 되어 있음.

472 (v) "이제 하루 동안 생산된 석탄 가운데 이 $\frac{2}{3}$를 … 가정하자." ← "하루 동안 소비된 석탄 가운데 이 $\frac{2}{3}$를 … 것인지 아닌지는"

473 (v) "일정량의 직물" ← "직물 가운데 일부분" ← "직물 가운데 그 부분"

474 (v) 하인의 표현을 "Lakai" ← "Bediente"

475 (k) "전화해야만"(verwandelt werden,) — 자필 원고에는 verwandelt, werden,"으로 되어 있음.

476 (v) 여기에 "생산자"라고 썼다가 곧바로 지웠음.
477 (v) "주화" ← "구매수[단]"
478 (k) "교환과도"(mit dem Austausch) — 자필 원고에는 "von dem Austausch"로 되어 있음.
479 (v) "가축 마릿수" ← "종축"(種畜)
480 (v) 여기에 "$\frac{1}{3}$의 석탄 가운데 이 부분"이라고 썼다가 곧바로 지웠음.
481 (e) G415~G416, G434쪽을 보라.
482 (v) "곧바로" — 새로 삽입된 것.
483 (v) 여기에 "…에 새로 부가된 가치와"라고 썼다가 곧바로 지웠음.
484 (v) "보전하게" — 새로 삽입된 것.
485 (v) "총생산물" ← "생[산물]"
486 (v) 여기에 "새로 부가된 …의 생산물이 아니라"라고 썼다가 곧바로 지웠음.
487 (v) 여기에 "노동이 … 된다면"이라고 썼다가 곧바로 지웠음.
*488 (v) 여기에 다음과 같이 썼다가 곧바로 지웠음.

"그리고 그것을 구매하기 위해서는 이제 15,000첸트너의 석탄이 필요한 것이다. 생산물 가운데 이제 부가된 노동을 나타내는 부분은 15,000첸트너의 석탄이 될 것이다. 혹은 이제 20첸트너의 석탄은 이전의 15첸트너의 석탄과 같은 크기의 노동시간을 표시할 것이다. 즉 20:15 = 4:3 = 1:$\frac{3}{4}$이 될 것이다. 석탄 1첸트너는 가치 면에서 $\frac{1}{4}$만큼, 즉 25퍼센트 상승할 것이다. (임금률은 불변이다. 따라서 노동자들은 자신이 직접 석탄을 소비할 경우에만 손실을 볼 것이다. 잉여가치율도 불변이다. 하지만 이윤율은 하락할 것이다.) (이런 경우는 종자의 경우, 그리고 흉작의 경우가 해당되는데 즉 이들 경우는 생산물 가운데 대부분이 다시 토지로 되돌려져야만 한다.) 그러나 목재-철-기계 제조업자는 여전히 10,000첸트너의 석탄을 필요로 한다. 따라서 20,000첸트너는 여전히 나머지 유통에 들어갈 것이다. 그러나 석탄업자는 이제 더는 10,000첸트너로 이전과 같은 양의 철, 목재, 기계를 구매할 수 없다. 그의 생산물 30,000첸트너를 고찰해보면 이제 그 가운데 절반은 과거노동과 같고 나머지 절반이 새로 부가된 노동이다. 새로 부가된 노동 그 자체는, 이전과 마찬가지로 총생산물*1)은 동일하지만, 이전에 20,000첸트너를 생산하던 것이 이제는 15,000첸트너만을 생산한 셈이 된다. 하지만 소비되는 것은 여전히 20,000첸트너일 것이다(상품이 그 가치대로 판매될 수 있다*2)고 가정한다면, 즉 수요가 가격 상승의 결과로 감소하지 않는다고 가정한다면). 화폐 가운데 석탄업자가 20,000첸트너의 석탄을 판매하여 손에 넣은 부분은, 이제 그에게 모두가 소득을 보전하는 것이 아니고 그중 5,000첸트너만큼은 그의 자본을 보전하게 된다. 이제 단지 두 가지 경우만이 가능하다. 철 등의 생산자가 이전보다 더 많은 석탄을 구매하는 경우인데 이것은 별로 가능성이 없다. 왜냐하면 석탄가격이 상승했다고 해도 ||353| 그들의 노동생산성이 변했다고 가정하지 않았기 때문이다.

따라서 다음과 같이 된다.

첫 번째 경우:

불변자본 (철, 목재, 기계)	**가변자본**	**총생산물**	**가치**
=10,000첸트너의 석탄	20,000첸트너 (임금과 이윤)	30,000첸트너	30파운드스털링
(40노동일) 10파운드스털링	(20노동일) 20파운드스털링	(30노동일) 30파운드스털링	

두 번째 경우:

=15,000첸트너의 석탄 15,000

(15노동일) 15파운드스털링"

*1) "총생산물" ← "생산물"

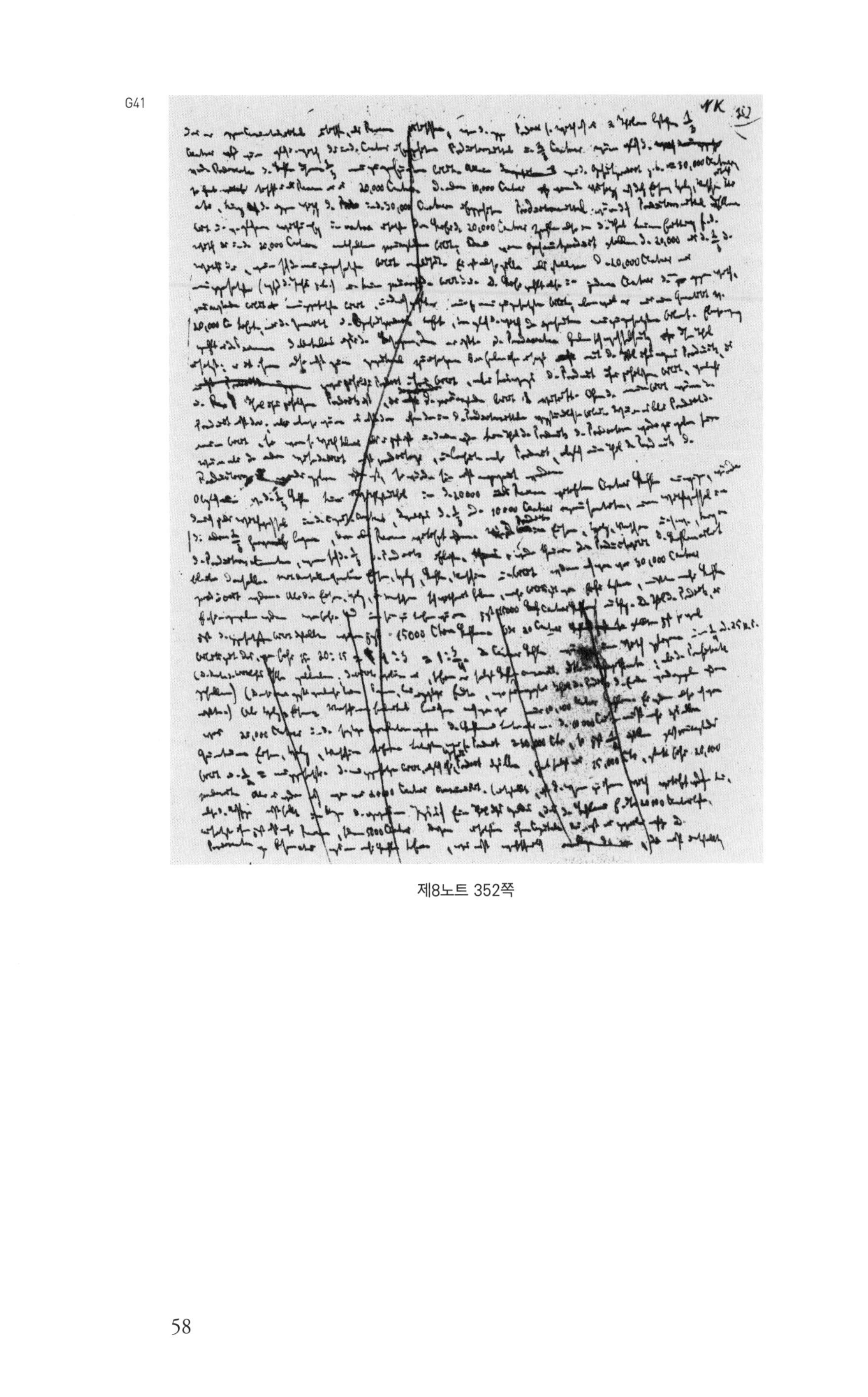

G41

[illegible]

제8노트 352쪽

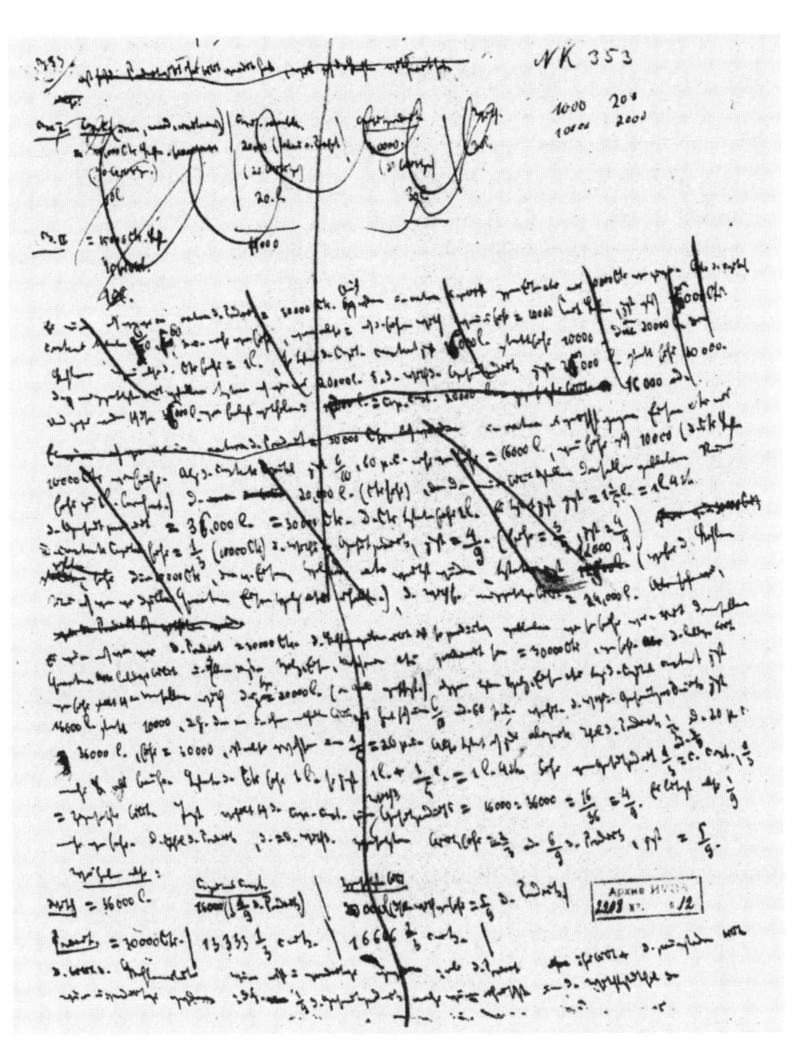

제8노트 353쪽

*2) “판매될 수 있다” ← “판매된다”

그리고 다음과 같이 썼다가 곧바로 지웠음.

“현물 생산물은 이전과 마찬가지로 30,000첸트너일 것이다. 철 등과 교환되는 현물도 여전히 10,000첸트너뿐일 것이다. 그러나 불변자본에 들어가는 비용은 이전에 비해 $\frac{6}{10}$, 즉 60퍼센트[*1)] 증가했다. 따라서 이전에 10,000첸트너의 석탄에 들어 있던 가치는 이제 16,000[*2)]첸트너의 석탄과 같다. 따라서 만일 이전에 1첸트너의 석탄이 1파운드스털링이었다면 이제 불변자본에는 이전의 10,000첸트너 대신 16,000[*3)]파운드스털링이 소요될 것이다. [*4)]새로 부가된 노동을 나타내는 20,000파운드스털링[*5)]에는 여전히 20,000파운드스털링이 소요될 것이다. 그래서 총생산물의 가치는 이전의 30,000파운드스털링 대신 이제는 36,000[*6)]파운드스털링이 될 것이다. 그리고 이 36,000[*7)]파운드스털링은 다음과 같이 나누어질 것이다.”[*8)]

*1) “$\frac{6}{10}$, 즉 60퍼센트” ← “$\frac{1}{2}$, 즉 50퍼센트”

*2) “16,000” ← “15,000”

*3) “16,000” ← “15,000”

*4) “새로 부가된 노동” 앞에 쉼표를 썼다가 지웠음.

*5) “20,000파운드스털링”의 정관사가 “die” ← “das”

*6) “36,000” ← “35,000”

*7) “36,000” ← “35,000”

*8) 여기서 행을 바꾸고 다음과 같이 썼다가 지웠음. “15,000파운드스털링 = 불변자본 20,000파운드스털링 = 부가된 노동 16,000 혹은”

그리고 다음과 같이 썼다가 곧바로 지웠음.

“현물 생산물은 여전히 30,000첸트너일 것이다. 철 등과 교환되는 현물도 여전히 10,000첸트너뿐일 것이다. 그러나 불변자본에 들어가는 비용은 이전에는 10,000파운드스털링이었던 것이(이전에 1첸트너의 석탄은 1파운드스털링으로 계산되었다) 이제는 이전에 비해 $\frac{6}{10}$, 즉 60퍼센트 증가한 16,000파운드스털링이 될 것이다. 새로 부가된 노동을 나타내는 [*1)]20,000파운드스털링(이전의 기준으로 20,000첸트너의 석탄에 해당하는)은 불변으로 머물러 있다. 이제 총생산물 = 36,000파운드스털링 = 30,000첸트너이다. 이전에 1첸트너의 가격은 1파운드스털링이었다. 이제 그것의 가격은 $1\frac{1}{5}$파운드스털링 = 1파운드스털링 4실링이다. 불변자본은 이전에는 총생산물 가치의 $\frac{1}{3}$(10,000첸트너)이었지만 이제는 $\frac{4}{9}$이다.[*2)] (이전에는 $\frac{3}{9}$이던 것이 이제는 $\frac{4}{9}$가 된 것이다.) 철, 목재 생산자 등이 소비한 10,000첸트너의 지불에는 이제 12,000파운드스털링이 소요된다(이 12,000파운드스털링으로 석탄업자는 이전과 동일한 양의 철과 목재 등을 손에 넣는다). 새로 부가된 노동의 가치 = 24,000파운드스털링이다. 그러면 이제 생산물이 어떻게 분배되는지를 보기로 하자.”

*1) “20,000파운드스털링”의 정관사 Die 다음에 “노동에 들어간”이라고 썼다가 지웠음.

*2) 다음에 “또 이전에 지불된 30,000첸트너 가운데”라고 썼다가 지웠음(“지불된”의 표현을 “zahlten” ← “stellen”).

489 (v) “살아 있는 노동” ← “노[동]”

490 (v) “= $\frac{3}{9}$” — 새로 삽입된 것.

491 (v) “총생산물의 가치” ← “총생산물”

492 (e) 이하에서 마르크스는 첸트너(50kg)의 약어를 Ctr.과 cwts.로 표기하고 있다. Cwt는 헌드레드웨이트(50.802kg)(미국에서 100파운드, 영국에서 112파운드를 나타내는 무게 단위 — 옮긴이)의 영어식 약어 표기이다.

493 (k) “$\frac{1}{9}$” — 자필 원고에는 “$\frac{1}{5}$”로 되어 있음.

494 (v) “이들 물품으로 … 보전해야” ← “이들 물품과 … 교환해야”

495 (v) 여기에 다음과 같이 썼다가 곧바로 지웠음. "따라서 그는 이전에 15명의 노동자를 사용하다가 이제는 ($\frac{3}{5}$·15＝9) 24명을 사용하게 되었다. 잉여가치율은 하락한다. 잉여가치율은 이전에는 1노동일의 $\frac{1}{3}$(2시간), 즉 15명의 노동자에 대해서 30시간의 노동(혹은 $2\frac{1}{2}$ 노동일＝자본가를 위해서 무상으로 노동해주는 15명의 노동자 가운데 $2\frac{1}{2}$명)이었다."

496 (e) "임금률"—초고의 본문에는 "Arbeitsrate"이지만 내용상 "Rate des Arbeitslohn"으로 생각됨.

497 (v) 여기에 "그들은 철과 목[재]를 … 해야만 한다"라고 썼다가 곧바로 지웠음.

498 (v) "부분적으로"—새로 삽입된 것.

499 (v) 여기에 "사회"라고 썼다가 곧바로 지웠음.

500 (e) "더 많은 양의 노동"—초고의 본문에는 "Mehrarbeit"라고 표기되어 있지만 내용상 "mehr Arbeitsquantum"으로 생각됨.

501 (v) 여기에 "…과 현물로 교환되는"이라고 썼다가 곧바로 지웠음.

502 (v) 여기에 "스스로 소비할"이라고 썼다가 곧바로 지웠음.

503 (v) 여기에 "석탄, 목재 등"이라고 썼다가 곧바로 지웠음.

504 (e) G404～G405쪽을 보라.

505 (v) "그들의 소득" ← "그들의 소득 가운데 일부분"

506 (v) 여기에 "소득 가운데"라고 썼다가 곧바로 지웠음.

507 (k) "아마포"(die Leinwand)—자필 원고에는 "das Leinwand"로 되어 있음.

508 (v) "면화 1파운드의" ← "면화의"

509 (v) 여기에 다음과 같이 썼다가 곧바로 지웠음. "5실링=60펜스이고 1실링 6펜스＝18펜스이다. 생산물 전체의 비용은 이제 78펜스가 되고 그중에서 단지 18펜스만 노동에 돌아간다. 이전에는 총생산물 가운데 노동을 보전하는 부분이 50퍼센트였지만 이제는 겨우 $23\frac{1}{13}$ 퍼센트이다. 반면 불변자본인 석탄은 총생산물 가운데 $76\frac{12}{13}$퍼센트를 차지하게 되었다.[*1] 5파운드[*2]의 실에 이제 78펜스가 소요되기 때문에 5파운드[*3]는 이제 …이 될 것이다"

*1) 이어서 "(전에는 전자의 $\frac{1}{3}$, 후[자]의 $\frac{2}{3}$"라고 썼다가 나중에 지웠음. 또한 여기서 "$\frac{1}{3}$" ← "$\frac{1}{5}$"

*2) "5파운드" ← "1파운드"

*3) "5파운드" ← "1파운드"

510 (v) "현실의"—새로 삽입된 것.

511 (v) "자본" ← "생산물"

512 (v) "임금으로"—새로 삽입된 것.

513 (e) G509쪽 23～24행(본문 239쪽 5～6행—옮긴이)을 보라.

514 (e) 이 인용문에서 강조는 모두 마르크스가 한 것(단, "**비생산적인**"은 제외).

515 (v) "생산양식" ← "생산"

516 (e) "**사용하는** 사람의 **소득뿐 아니라 중개인들에게 이윤을 가져다줄 자본**"—강조는 마르크스가 한 것(단, "소득뿐 아니라"는 제외).

517 (v) 여기에 "원"(Roh)이라고 썼다가 곧바로 지우고 "자본"이라고 썼다가 곧바로 지우고 "원재[료]"라고 썼다가 곧바로 지웠음.

518 (k) "두 번째 경우"(im zweiten)—자필 원고에는 "im zweiten,"로 되어 있음.

519 (v) "자신의 소득을" ← "그것을(sie)"

520 (k) "175, 176"—자필 원고에는 "176, 177"로 되어 있음.

521 (v) "기존 비율" ← "비[율]"

522 (v) "보고서" ← "통계조사"

523 (v) "영국에서"—새로 삽입된 것.

524 (v) "(『1861년 4월 24일 하원 질의에 대한 보고서』, 1862년 2월 11일 인쇄)"—새로 삽입된 것.

525 (e) "**주워 모으려는**"—강조는 마르크스가 한 것.

526 (e) "**존재하지 않던**"—강조는 마르크스가 한 것.

527 (v) "일정 가치의 상품" ← "상품, 어떤 …" ← "일정한"

528 (k) "**자본과 노동 간의 교환**이 … 외에 다른"(*Austausch von Capital gegen Arbeit* weiter)—자필 원고에는 "Austausch *von Capital gegen Arbeit weiter*"로 되어 있음.

529 (v) 다음에 행을 바꿔 "극히 형편없는 졸[작]"이라고 썼다가 곧바로 지웠음.

530 (e) 니콜라 프랑수아 카나르, 『경제학 원리』, 파리, 1801년. 인용문의 출처는 샤를 가닐, 『경제학 체계』, 제1권, 파리, 1821년, 75쪽.

531 (v) "정의하고" ← "이름 붙이고"

532 (e) "**중상주의** 혹은 **일반적 노동**"—강조는 마르크스가 한 것.

533 (v) 여기에 "사회적 …의"라고 썼다가 곧바로 지웠음.

534 (k) "상업의"(Handels, von)—자필 원고에는 "Handels. Von"으로 되어 있음.

535 (v) 여기에 "der Theil d. er sein"이라고 썼다가 곧바로 지웠음.

536 (e) "**물건**"—강조는 마르크스가 한 것.

537 (e) "**생산물**"—강조는 마르크스가 한 것.

538 (e) 밑줄은 마르크스가 연필로 강조한 것.

539 (e) 밑줄은 마르크스가 연필로 강조한 것.

540 (e) 밑줄은 마르크스가 연필로 강조한 것.

541 (k) "A도 … 혹은"(A oder)—자필 원고에는 "A. oder"로 되어 있음.

542 (v) "각자의 노동이 **일반적인 사회적 노동**으로 나타나는" ← "각자의 노동이 **일반적인 사회적 노동**이라는", 이 구절의 마지막에 "F"라고 썼다가 지웠음.

543 (v) "고립된"—새로 삽입된 것.

544 (v) "비율"의 표현을 "Proportion" ← "Verhäl[tniß]"

545 (v) "(따라서 **어떤 잉여가치도 없다**)"—새로 삽입된 것.

546 (e) "**가치가 하락**"—강조는 마르크스가 한 것.

547 (v) "교환가치" ← "사용[가치]"

548 (k) "제3의 존재에 의해"(durch ein Drittes)—자필 원고에는 "durch $\frac{1}{3}$"로 되어 있음.

549 (v) 여기에 "더 많은"이라고 썼다가 곧바로 지웠음.

550 (k) "많은 철로 적은 금을"(weniger Gold=mehr Eisen)—자필 원고에는 "mehr Gold=weniger Eisen"으로 되어 있음.

551 (e) "**총액만큼 생산적**"—강조는 마르크스가 한 것.

552 (v) "정신적" ← "비생산[적]"
(k) "정신적"(immaterielle)—자필 원고에는 "materielle"로 되어 있음.

553 (e) 이 인용문에서 강조는 모두 마르크스가 한 것.

554 (e) 이 인용문에서 강조는 모두 마르크스가 한 것.

555 (e) 이 문단과 다음 문단의 인용문에서 강조는 모두 마르크스가 한 것.

556 (e) "**부의 생산**"—강조는 마르크스가 한 것.

557 (v) "50명의 순생산물" ← "5[0]명"

558 (v) 여기에 "생산적 …과 같이"라고 썼다가 곧바로 지웠음.

559 (v) 여기에 "더 비싸게"라고 썼다가 곧바로 지웠음.

560 (e) "생각"(observation)—가닐의 원문에는 "반론"(objection)으로 되어 있음.

561 (e) 〔 〕 안에 있는 인용문은 샤를 가닐, 『경제학 체계』, 제1권, 파리, 1821년, 296쪽.

562 (e) 이 문단에서 강조는 모두 마르크스가 한 것.

563 (v) 여기에 "생산물들"이라고 썼다가 곧바로 지웠음.

564 (e) 제14노트, 772/773쪽(MEGA② II/3.4)을 보라. G416쪽 32~34행, G600쪽 29행(본문 137쪽 22~24행, 345쪽 12행 — 옮긴이)도 보라.

565 (e) "임금"(salaires) — 가닐의 원문에는 "gages"로 되어 있음.

566 (e) "**곡물가격이 높아지거나 낮아지는 원인이 되지만 지대가 높거나 낮은 것은 곡물가격의 결과물이다.**" — 강조는 마르크스가 한 것.

567 (e) 애덤 스미스, 『국부론』; 인용 출처는 샤를 가닐, 『경제학 체계』, 제2권, 파리, 1821년, 3쪽.

568 (v) "**페티.**" — 새로 삽입된 것.

569 (e) G504쪽 27행~G505쪽 21행(본문 233쪽 둘째 문단~234쪽 첫째 문단 — 옮긴이)을 보라.

570 (k) "잉여가치"(ein surplus value) — 자필 원고에는 "kein surplus value"로 되어 있음.

571 (e) 이 인용문은 윌리엄 페티, 『조세 및 공납에 대한 고찰』로 출처는 샤를 가닐, 『경제학 체계』, 제2권, 파리, 1821년, 36/37쪽. 강조는 마르크스가 한 것.

572 (e) 가닐의 이 주장은 그의 『경제학 체계』, 제1권, 파리, 1821년, 213쪽에서 찾아볼 수 있다. 거기에서 그는 "내가 다른 곳에서 정립한 이론(1)은 리카도에게서 재생산되고 있다"고 쓴 다음 각주에서 다시 "(1) 경제학 이론에 대한 나의 저작에서"라고 덧붙이고 있다. 가닐의 저작 『경제학 이론』은 1815년에 출판되었는데 그것은 리카도의 『경제학과 과세의 원리』보다 2년 앞선 것이다.

573 (v) 다음에 "…의 수준에 … 않는다"고 썼다가 곧바로 지우고 "daß es nicht"라고 썼다가 곧바로 지웠음.

574 (v) 여기에 "이윤"이라고 썼다가 곧바로 지웠음.

575 (k) "V=800파운드스털링" — 자필 원고에는 "V=100파운드스털링"으로 되어 있음.

576 (v) 여기에 "$\frac{1\text{파운드스털링}\times 800}{160} = \frac{800}{160} = \frac{80}{16}$"이라고 썼다가 곧바로 지웠음.

577 (v) "2n" ← "$\frac{2}{n}$"

578 (k) "매일 제공하는"(gelieferte tägliche) — 자필 원고에는 "gelieferte"(제공하는)가 지워져 있음. 아마도 처음에는 썼다가 나중에 지운 것으로 보임.

579 (e) 엄밀하게 말해서 기계의 가치는 그것이 나머지 자본(150+310=460파운드스털링)의 4배라는 가정을 적용할 때 1,840파운드스털링이 되어야 한다. 하지만 마르크스는 계산의 단순화를 위해 그것을 1,600파운드스털링으로 잡고 있다.

580 (v) 여기에 "자[본]"이라고 썼다가 곧바로 지웠음.

581 (k) "**새로운**"(*Neues*) — 자필 원고에는 "*Neue*"로 되어 있음.

582 (v) 여기에 "이전에는 총생산물 가운데 … 부분이 … 달했다"고 썼다가 곧바로 지웠음.

583 (v) "생산물의" — 새로 삽입된 것.

584 (k) "얻게"(erhält) — 자필 원고에는 "enthält"로 되어 있음.

585 (k) "총생산물" — 자필 원고에는 "잉여생산물"로 되어 있음.

586 (v) 여기에 "더 적은"이라고 썼다가 곧바로 지웠음.

587 (v) "하락해서"의 표현을 "fällt" ← "entfällt"

588 (v) "잉여가치의 증가는 곧 … 의미하기" ← "잉여가치는 … 할 수 있기"

589 (v) "생산물" ← "상품"

590 (v) 여기에 "Productions"라고 썼다가 곧바로 지우고 "Cons"라고 썼다가 곧바로 지우고 "Prod"라고 썼다가 지웠음.

591 (k) "않는"(neither) — 자필 원고에는 "either"로 되어 있음.

592 (v) "가치에는" ← "가치는"

593 (v) 여기에 "$\frac{1}{2}$노동일에 대하여 — 이윤이 2시간이라면, 사용된 노동시간, 이윤"이라고 썼다가 곧바로 지웠음.

594 (v) "늘어날" — 새로 삽입된 것.

595 (v) 여기에 "발명"이라고 썼다가 곧바로 지웠음.

596 (v) 여기에 "사[회적]"이라고 썼다가 지웠음.

597 (k) "계속"(fortsetzen) — 자필 원고에는 과거형으로 "fortsetzten"으로 되어 있음.

598 (v) "직접" — 새로 삽입된 것.

599 (k) "이전에는" — 초고에는 "이제는"으로 되어 있음.

600 (k) "$\frac{3}{3}$" — 자필 원고에는 "$\frac{2}{3}$"으로 되어 있음.

601 (v) 여기에 "더 많은 주민들"이라고 썼다가 곧바로 지웠음.

602 (v) "화학 및 무기질" ← "화학"

603 (v) **"총노동 가운데 불변자본의 재생산에 종사하는 노동의 양이 상대적으로"** ← **"불변자본의 재생산에 종사하는 노동이"**

604 (v) "곧바로" — 새로 삽입된 것.

605 (v) "공업노동자"의 표현을 "Manufacturarbeiter" ← "Indust[riearbeiter]"

606 (k) "증가한다" — 자필 원고에는 "감소한다"로 되어 있음.

607 (v) 여기에 "실이 상대적으로 끊어지는 부분은 모[두]"라고 썼다가 곧바로 지웠음.

608 (v) 행을 바꿔 "가닐은 계속해서 말한다"라고 썼다가 곧바로 지웠음.

609 (v) "이전의" — 새로 삽입된 것.

610 (v) "원료" ← "생산물"

611 (e) G430~G431쪽을 보라.

612 (e) **"공업부문의 진보가 가져오는 필연적인 결과인 한 나라의 인구 구성의 변화"** — 강조는 마르크스가 한 것.

613 (e) 데이비드 리카도, 『경제학과 과세의 원리』; 인용문의 출처는 샤를 가닐, 『경제학 체계』, 제1권, 파리, 1821년, 213~20쪽.

614 (e) 이 인용문에서 강조는 모두 마르크스가 한 것.

615 (k) "20,000" — 자필 원고에는 "20"으로 되어 있음.

616 (k) "20,000" — 자필 원고에는 "20"으로 되어 있음.

617 (e) **"순생산물"** — 강조는 마르크스가 한 것.

618 (v) "유리하지 않다"고 썼다가 "…지 않다"(nicht)를 나중에 지웠음.

619 (e) G357쪽 36행에 관한 해설(부속자료 21~22쪽 주 112 — 옮긴이)을 보라.

620 (e) **"임노동계급"** — 강조는 마르크스가 한 것.

621 (v) "처해 있다고"(befinde) ← "나타난다고"(einfinden)

622 (e) 여기부터 G540쪽의 첫째 단락이 끝나는 "…세금 역시 한 푼도 더 늘릴 수 없는 처지에 놓일 것이다"까지의 인용문에서 마르크스가 사용한 숫자는 모두 가닐의 원문과 다르다.

623 (e) 이 인용문의 출처는 샤를 가닐, 『경제학 체계』, 제1권, 파리, 1821년, 220쪽.

624 (e) 이 문단과 다음 문단에서 강조는 모두 마르크스가 한 것.

625 (k) "221" — 자필 원고에는 "222"로 되어 있음.

626 (k) "224" — 자필 원고에는 "225"로 되어 있음.

627 (e) G537쪽 21~23행(본문 271쪽 29~30행 — 옮긴이)을 보라.

628 (e) "한 나라가 500만 명이 살아가는 데 필요한 순소득을 생산하기 위해 생산적 노동자를 500만 명 사용하든 700만 명 사용하든" — 가닐의 원문에는 다음과 같이 되어 있음. "만일 500만 명이 1000만 명에게 필요한 식량과 의복을 생산한다면 이 500만 명분의 식량과 의

복은 순소득이 될 것이다. 그런데 이 순소득을 생산하기 위해 700만 명이 필요하다면, 즉 1200만 명분의 식량과 의복을 생산하는 데 700만 명을 사용한다면 이것이 그 나라에 어떤 이익이 되는 것일까?"

629 (e) 이 인용문의 출처는 샤를 가닐, 『경제학 체계』, 제1권, 파리, 1821년, 213~15쪽. 강조는 마르크스가 한 것.

630 (v) "임금" ← "이윤"

631 (v) "수" ← "양"

632 (e) 베르길리우스(Publius Vergilius Maro, 기원전 70~19: 로마 시인, 『아이네이스』의 저자—옮긴이)의 풍자시에서 인용된 것.

633 (e) 데이비드 리카도, 『경제학과 과세의 원리』, 제3판, 런던, 1821년.

634 (v) 다음에 "…라고 가정하자"라고 썼다가 곧바로 지웠음.

635 (k) 자필 원고에는 여기에 "이 경우 고정자본은 …이 될 것이다"라는 구절이 있음. 빠뜨리고 지우지 못한 듯함.

636 (v) 다음에 "12시간"이라고 썼다가 곧바로 지웠음.

637 (v) 여기에 "상대적인"이라고 썼다가 곧바로 지웠음.

638 (v) 여기에 "가변적"이라고 썼다가 곧바로 지웠음.

·639 (v) 여기서 행을 바꿔 다음과 같이 썼다가 곧바로 지웠음.

"첫 번째 자본을 C.I, 두 번째 자본을 C.II, 살아 있는 노동시간을 L이라고 부르자(여기에서는 두 경우 모두 오히려 **생산물**이 중요하다). 자본 II = $\frac{C.I}{10}$일 것이고 그것은 살아 있는 노동만으로 이루어질 것이다. 그러나 그것은 $\frac{C.I}{2}$이다."

그리고 다음 세 문단을 썼다가 곧바로 지웠음.

"첫 번째 생산물을 PI, 두 번째 생산물을 PII, 두 경우 모두 살아 있는 노동시간을 L이라고 부르자. (과거노동시간 L″.)*1) PII가 그 속에 포함된 살아 있는 노동시간 L과 같다면 PII = $\frac{PI}{10}$일 것이다. 그런데 PII = $\frac{PI}{2}$, 즉 $\frac{PI}{10}$의 5배이다. 따라서 PII = L, ×불변자본, = 5L이다.

PII는 이제 PI과 비교할 때 살아 있는 노동시간의 $\frac{1}{10}$과 같다. 그런데 *2)그 속에 포함된 과거노동시간은 PI에 포함된 것의 5배이다. *3)$\frac{1}{10} \times 5 = \frac{1}{2}$. 생산물 II에서 살아 있는 노동이 $\frac{1}{10}$이라면 과거노동은 그것의 2배일 것이다. 따라서 그것은 $\frac{1}{10} \times 2 = \frac{1}{5}$이다. 따라서 10,000파운드스털링에 판매되는 생산물에는 20,000파운드스털링에 판매되는 생산물보다 5배 더 많은 불변자본이 포함되어 있어야 하고 10배의 살아 있는 노동시간이 사용되어야만 한다.

20,000=2×10,000. 그런데 20,000에는 10,000의 경우보다 10배의 살아 있는 노동시간이 포함되어 있다. P^{II}는 살아 있는 노동일 100을 포함하고 P^{I}은 1,000을 포함한다. P^{II}는 모두 합해서 P^{I}보다 절반의 노동시간을 포함한다. 따라서 P^{II} 속에 포함된 살아 있는 노동시간*4)은 그 속에 포함된 총노동시간의 $\frac{1}{5}$에 불과할 것이고 $\frac{4}{5}$는 불변자본을 구성해야만 한다. P^{I}은 P^{II}에 비해 10배의 살아 있는 노동시간을 포함한다. 그러나 그 속에 포함된 총노동시간은 P^{II}에 비해 2배에 그친다. P^{II}에 포함된 살아 있는 노동시간=100노동일이므로 총노동시간=500노동일이다. P^{I}에 포함된 총노동시간=1,000노동일이다."

*1) "(과거노동시간 L″.)" ← "I의 살아 있는 노동을 L′, II의 살아 있는 노동을 L″이라고 하자".

*2) 여기에 "그것은 …과 같다"라고 썼다가 나중에 지웠음.

*3) 여기에 "PI은 10파운드스털링의 살아 있는 노동시간과 2파운드스털링의 과거노동시간 = 12파운드스털링으로 이루어져 있다. PII는 …으로 이루어져 있다"라고 썼다가 나중에 지웠음.

*4) "살아 있는 노동시간" ← "과거노동[시간]"

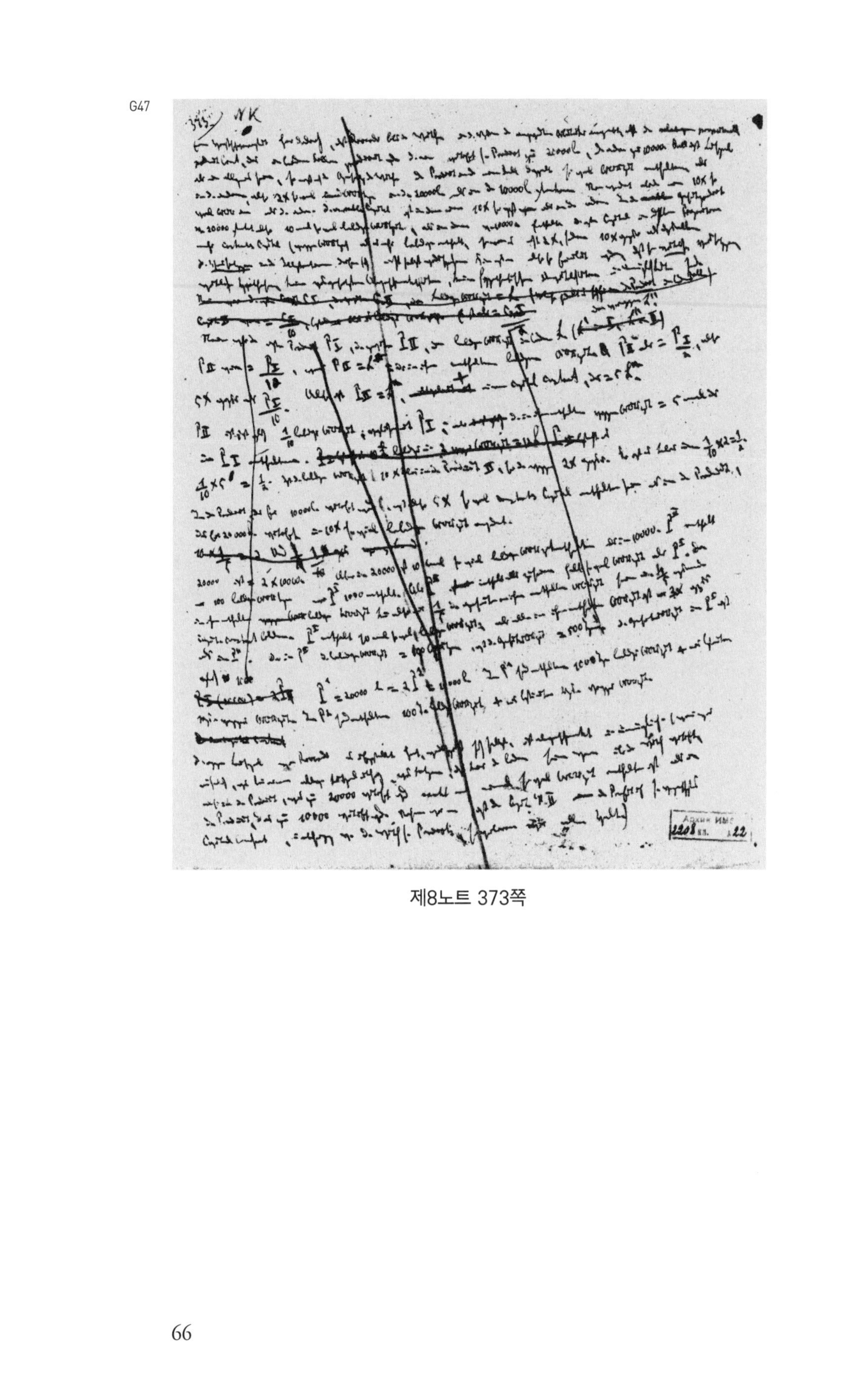

G47

[illegible]

제8노트 373쪽

640 (v) 행을 바꿔 "불변자본에"(D. im capital constant)라고 썼다가 곧바로 지웠음.

641 (v) "총노동일" ← "노동일"

642 (v) "1노동일의 총가치" ← "총가치"

643 (v) "똑같이" — 새로 삽입된 것.

644 (v) "가공한다" ← "따라[서] … 생산한다"

645 (v) "생산물"의 표현을 "den proportionellen Producten" ← "dem proportionellen Product"

646 (v) "1노동일당 생산물의 상대적인 비율"의 표현을 "den vergleichungsmässigen Producten *eines Arbeitstags*" ← "dem vergleichungsmässigen Product *eines Arbeitstags*" ←"dem Product eines Arb"

647 (v) 이어서 다음과 같이 썼다가 곧바로 지웠음. "따라서 I이 7,000파운드스털링어치의 원료를 가공한다고 가정한다면 II는 4,375파운드스털링어치의 원료를 가공하게 될 것이다. 그러면 이제 I에는 고정자본을 위한 1,000파운드스털링만 남아 있을 것이고 리카도는 자신의 자본과 연간 생산물이 모두 똑같이 20,000파운드스털링이라고 가정하고 있기 때문에…"

648 (v) 여기에 "똑같이"라고 썼다가 나중에 지웠음.

649 (v) "노동과정" ← "생산과정"

650 (k) "$11\frac{1}{7}$" — 자필 원고에는 "$11\frac{5}{7}$"로 되어 있음.

651 (k) "8,000파운드스털링" — 초고에는 "8,000파운드"로 되어 있음.

652 (v) "상품은 10,000파운드스털링에 판매되고 그중 2,000파운드스털링이 잉여가치라고 하자. 그러면 8,000파운드스털링의 면사에서 (8,000-5,375)=2,625파운드스털링이 남는다." ← "10,000파운드스털링에 판매된 상품 가운데 2,000파운드스털링이 잉여가치라고 하자. 그러면 5,375파운드스털링이 더해져서 7,375파운드스털링이 만들어진다."

653 (v) "마모분이 거의 $\frac{1}{4}$이기 때문에(즉 약 4년 만에 재생산되어야 하기 때문에)" ← "마모분이 $\frac{1}{4}$ 이상*이기 때문에(즉 약 4년 만에 재생산되어야 하기 때문에)" ← "마모분이 $\frac{1}{4}$ 이상이기 때문에(즉 4년 이내에 재생산되어야 하기 때문에)"

* "$\frac{1}{4}$ 이상" ← "거의 $\frac{1}{5}$"

654 (k) "10퍼센트" — 자필 원고에는 "20퍼센트"로 되어 있음.

655 (v) 여기에 다음과 같이 썼다가 곧바로 지웠음. "1파운드는 6펜스이므로 4,375파운드스털링* =4,375×6파운드이다."

* "파운드스털링" ← "파운드"

656 (k) "파운드스털링" — 초고에는 "파운드"로 되어 있음.

657 (k) "$\frac{9}{10}$" — 자필 원고에는 "$\frac{1}{10}$"로 되어 있음.

658 (v) "생산요소들" ← "생산국면" ← "생산요소들"

659 (v) 초고의 왼쪽 상단 귀퉁이가 떨어져 나가서 원문이 유실됨.

660 (e) "두 번째 경우" 내지는 "자본 II"라는 의미.

661 (k) "400" — 자필 원고에는 "100"으로 되어 있음.

662 (v) 여기에 "이[윤]"이라고 썼다가 곧바로 지웠음.

663 (v) "만큼" ← "만큼, 즉 8:5의 비율로" ← "만큼, 즉 생산성과 똑같은 8:5의 비율로"

664 (v) "왜냐하면 노동자는 …이므로"라고 썼다가 곧바로 지웠음.

665 (v) 행을 바꿔 "계속해서 볼 것"이라고 썼다가 곧바로 지웠음.

666 (v) "그 나라에서 … 똑같다" ← "그 나라에 전혀 도움이 되지 않는다"

667 (v) "저장해두고"의 표현을 "liegen hat" ← "liegen läßt"

668 (v) 여기에 "만일 그가 제조업자라면 그는 아마도 틀림없이 매년 등등"이라고 썼다가 곧바로 지웠음.

669 (e) 이 인용문에서 강조는 모두 마르크스가 한 것.

670 (v) 여기에 "생산적 인구"라고 썼다가 곧바로 지웠음.

671 (v) "상대적으로 높다"의 표현을 "den verhältnißmässigen Grad" ← "die verhältnißmässige Grösse"

672 (v) "것일"의 표현을 "wäre" ← "ist"

673 (v) 이 부분 이하 세 문장 전체는 나중에 연필로 삭제 표시를 해두었음. "한편으로 상품생산에 필요한 노동시간 … 최대한 많은 생산적 노동을 사용하려 한다."

674 (v) 여기에 "상품생산에 필요한 노동시간에, 즉 d. Verh"라고 썼다가 곧바로 지웠음.

675 (v) 여기에 "비율"이라고 썼다가 곧바로 지웠음.

676 (k) "경향"(seine Tendenz) — 자필 원고에는 "ihre Tendenz"로 되어 있음.

677 (k) "자본은"(Es) — 자필 원고에는 "Sie"로 되어 있음.

678 (v) "면화"의 표현을 "Cotton" ← "Baum[wolle]"

679 (v) "부분적으로" — 새로 삽입된 것.

680 (v) "그런데" — 새로 삽입된 것.

681 (v) 여기에 "기계가 잠깐의 충격을 준 후에(der vielleicht"라고 썼다가 곧바로 지웠음.

682 (k) "충격에"(dem) — 자필 원고에는 "der"로 되어 있음.

683 (k) "비생산적" — 자필 원고에는 "생산적"으로 되어 있음.

684 (v) "소수는" — 새로 삽입된 것.

685 (v) 여기에 "하락하기도"라고 썼다가 곧바로 지웠음.

686 (v) "재전화"의 수식어로 "…으로의"(in)라고 썼다가 곧바로 지웠음.

687 (v) 여기에 "따라서 노동자들은 …해야만 한다"라고 썼다가 곧바로 지웠음.

688 (v) 여기에 "다른 한편으로"라고 썼다가 곧바로 지웠음.

689 (v) "의 공급" ← "에 대한 수요"

690 (e) "추호도"(nullement) — 세의 원문에는 "aucunement"으로 되어 있음.

691 (e) 여기부터 G553쪽 인용문의 끝까지 강조는 모두 마르크스가 한 것.

692 (e) 장-바티스트 세, 『경제학 개론』, 제1권, 파리, 1802년, 215, 216쪽. 인용 출처는 샤를 가닐, 『경제학 체계』, 제1권, 파리, 1821년, 231쪽.

693 (v) 여기에 "von"을 썼다가 곧바로 지웠음.

694 (e) "노동자" — 가닐의 원문에는 "노예"로 되어 있음.

695 (e) "주인이 … 절약한"(les maîtres font) — 가닐의 원문에는 "le maître fait"로 되어 있음.

696 (v) 여기에 "생산물"이라고 썼다가 곧바로 지웠음.

697 (v) "흑인노예제" ← "노예제"

698 (v) "자유로운 노동자" ← "노동자"

699 (v) "케네의 다음 구절" ← "다음 구절"

700 (e) 샤를 가닐, 『경제학 체계』, 제1권, 파리, 1821년, 274, 275쪽.

701 (v) "이런 멍청한 사람 같으니! 그는 케네를 전혀 이해하지 못하고 있다." — 이 문장 전체가 새로 삽입된 것.

702 (v) 다음에 인용부호(")를 쓰고 "(같은 책, 제2권, 24쪽)"이라고 썼다가 곧바로 지웠음.

소득과 자본의 교환

1 (v) 여기에 "자본이 되는"이라고 썼다가 곧바로 지웠음.

2 (k) "전화하는"(verwandeln) — 자필 원고에는 "verwandelt"로 되어 있음.

3 (v) "소비된" ← "과거의"

4 (v) 다음에 "아마포 상인 자신의 생산물인 아마포 가운데 일부를"이라고 썼다가 곧바로 지웠음.

5 (v) "양" ← "비[율]"

6 (v) 여기에 "만일 필요…"라고 썼다가 곧바로 지웠음.

7 (v) "자본주의적 생산은" — 새로 삽입된 것.

8 (v) 여기에 "노동일"(Arbeitstage auf)이라고 썼다가 지웠음.

9 (v) "그만한 부분" ← "이 부분"

10 (v) "방직업에"(auf die Leinenweberei)에서 나중에 "die"를 지웠음.

11 (v) "일정한 생산물의 총량" ← [생산물]의 총량 ← "총생산물"

12 (v) 여기에 "사용[가치]"라고 썼다가 곧바로 지웠음.

13 (v) 여기에 "사회적"이라고 썼다가 곧바로 지웠음.

14 (v) "사용된" — 새로 삽입된 것.

15 (v) "총생산물" ← "생산물"

16 (v) "사용되었을" ← "분배되었을"

17 (v) 여기에 "같은"이라고 썼다가 곧바로 지웠음.

18 (k) "2" — 자필 원고에는 "12"로 되어 있음.

19 (k) "$1\frac{1}{3}$" — 자필 원고에는 "8"로 되어 있음.

20 (v) "사회적으로" — 새로 삽입된 것.

21 (v) 여기에 "…의 양"(d. Masse)이라고 썼다가 곧바로 지웠음.

22 (v) 여기에 "hat"라고 썼다가 곧바로 지웠음.

23 (v) "이제" — 새로 삽입된 것.

24 (v) 여기에 "노동"이라고 썼다가 곧바로 지웠음.

25 (v) "구리" ← "철"

26 (v) 여기서 행을 바꿔 "한 생산부문에서 소비되는 소득 가운데 …하는 부분이 있다면"이라고 썼다가 곧바로 지웠음.

27 (k) "생산하는"(herstellen) — 자필 원고에는 "나타내는"(darstellen)으로 되어 있음.

28 (v) 여기에 "다른 규정이 …"(Daß die andere Bestimmung)라고 썼다가 곧바로 지웠음.

29 (e) 이 지적은 세의 저작 『맬서스에게 보내는 편지』, 파리, 1820년, 15쪽과 관련된 것이다. 이 글에서 세는 예를 들어 이탈리아 시장에서 영국 상품이 넘쳐나는 원인을 영국 상품과 교환될 수 있는 이탈리아 상품의 생산이 부족하기 때문이라는 견해를 변론하고 있다. 세가 말한 이 견해는 익명으로 출판된 팸플릿 『최근 맬서스가 주장하는 … 연구』, 런던, 1821년, 15쪽에서 인용되고 있다. 마르크스가 세를 다룬 G587쪽 이하도 보라.

30 (v) "물품의 양이 … 많은 것을" ← "많은 물품을"

31 (v) "다른" — 새로 삽입된 것.

32 (v) "자신의 소득 가운데 일부를"(einen Theil Senier Revenu) — 처음에 "자신의"(sein)이라고 썼다가 곧바로 지웠음.

33 (v) "전화시키는가?" ← "교환하는가?"

34 (v) "양적으로" — 새로 삽입된 것.

35 (v) "그것은 마치 각 생산자가 … 소비한 경우와 마찬가지이다." — 이 문장 전체가 새로 삽입된 것.

36 (v) 여기에 "분배된다"라고 썼다가 곧바로 지웠음.

37 (v) "비생산적" ← "생산적"

38 (k) "노동자들" — 자필 원고에는 "노동"으로 되어 있음.

39 (v) 여기에 "밀"이라고 썼다가 곧바로 지웠음.

40 (v) "거의 모든"(Fast alle) ← "Die"
41 (k) "소비할 수 있는" — 자필 원고에는 "소비할 수 없는"으로 되어 있음. "nicht"(없는)를 빠뜨리고 지우지 못한 듯함.
42 (v) "기계" ← "기계공장"
43 (v) 여기에 "기계로서 개인적으로"라고 썼다가 곧바로 지웠음.
44 (v) 여기에 "직접"이라고 썼다가 나중에 지웠음.
45 (k) "소비될 수"(können) — 자필 원고에는 "kann"으로 되어 있음.
46 (k) "들어갈 수"(können) — 자필 원고에는 "kann"으로 되어 있음.
47 (k) "이룰 수"(können) — 자필 원고에는 "kann"으로 되어 있음.
48 (v) **"교환가치" ← "가치"**
49 (v) "그것의 가치를" ← "그것을"
50 (v) "소비재"의 표현을 "individuell consumabler Producte" ← "consumabler Producte"
51 (v) 여기에 "자신의"(sein)라고 썼다가 곧바로 지웠음.
52 (v) "총생산물" ← "생산물"
53 (v) "현물형태" ← "형태"
54 (k) "서로가"(einander) — 자필 원고에는 "einander zu"로 되어 있음.
55 (v) "단지" — 새로 삽입된 것.
56 (v) 여기에 "임금"이라고 썼다가 곧바로 지웠음.
57 (v) 이 문장의 표현을 "Hier treten sich die Waaren nicht als einfache Waaren gegenüber, sondern das Capital als Capital." ← "Hier tritt sich die Waare nicht als einfache Waare gegenüber, sondern dem Capital als Capital tritt."
58 (v) "개인적으로" — 새로 삽입된 것.
59 (v) 여기에 "소비한다"라고 썼다가 곧바로 지웠음.
60 (v) 여기에 "entwed[er]"라고 썼다가 곧바로 지웠음.
61 (v) 여기에 "이들 사이에 교환된다"라고 썼다가 곧바로 지웠음.
62 (v) 여기에 "이들 생산물의 총량"이라고 썼다가 곧바로 지웠음.
63 (v) "노동량"의 표현을 "das Quantum der Arbeit" ← "die Mass[e] der Arbeit"
64 (v) "이 노동량"의 표현을 "dieses Quantum der Arbeit" ← "diese Masse der Arbeit"
65 (v) 여기에 "stellen"이라고 썼다가 곧바로 지웠음.
66 (v) 다음에 "들어가는 생산[물]"이라고 썼다가 곧바로 지웠음.
67 (v) 여기에 "ersetzen d."(보전하다)라고 썼다가 곧바로 지웠음.
68 (v) 여기에 "보전된다"라고 썼다가 곧바로 지웠음.
69 (v) "자신의" — 새로 삽입된 것.
70 (v) "B 범주의 생산자들은 … 자신들이 …"의 표현을 "Sie hat also in der That mit ihrer" ← "Sie hat also in der That mit seiner"
71 (v) "뒷부분" — 새로 삽입된 것.
72 (v) 여기에 "…으로 분해된다"라고 썼다가 곧바로 지웠음.
73 (v) "모두" — 새로 삽입된 것.
74 (v) "소득" ← "이윤"
75 (v) 여기에 "그것이 바로 총생산물 가운데 … 전체를 포함하고 있기 때문이다"라고 썼다가 곧바로 지웠음.
76 (v) 여기에 "자신의 생산물"이라고 썼다가 곧바로 지웠음.
77 (v) 여기에 "만일 A 속에"라고 썼다가 곧바로 지웠음.
78 (v) "개인적" — 새로 삽입된 것.

79 (v) 여기에 "아니면"(entweder)이라고 썼다가 나중에 지웠음.
80 (v) "즉 $\frac{2}{3}$" — 새로 삽입된 것.
81 (v) 여기에 "총"이라고 썼다가 곧바로 지우고, "불변자[본]"이라고 썼다가 곧바로 지웠음.
82 (v) "그들의" — 새로 삽입된 것.
83 (v) 여기에 "… 부분을 가지고"라고 썼다가 곧바로 지웠음.
84 (v) "자신의 생산물 가운데 $\frac{2}{3}$를 가지고" — 새로 삽입된 것.
85 (v) 여기에 "새로 부가된 노동"이라고 썼다가 곧바로 지웠음.
86 (v) 여기에 "…보다 더 많은"이라고 썼다가 곧바로 지웠음.
87 (v) "양" ← "부분"
88 (v) 여기에 "die ihnen dieß in"이라고 썼다가 곧바로 지웠음.
89 (k) "기계 제조업자" — 자필 원고에는 "방직업자"로 되어 있음.
90 (v) 여기에 "이제 8노동을 갖는다"라고 썼다가 곧바로 지웠음.
91 (v) 여기에 "보전한다"라고 썼다가 곧바로 지웠음.
92 (v) 여기에 "…에서"(bei)라고 썼다가 곧바로 지웠음.
93 (v) "방적업자와 기계 제조업자" ← "방직업자"
94 (v) 다음에 ". Bei d."라고 썼다가 곧바로 지웠음.
95 (v) "현존하는" — 새로 삽입된 것.
96 (v) 여기에 "고정자본과 같은"(wie das capital fixe)이라고 썼다가 곧바로 지우고 "wozu"라고 썼다가 지웠음.
97 (v) "보전" ← "재생[산]"
98 (v) "(14가지)" — 새로 삽입된 것.
99 (e) 마르크스가 여기에서 10년을 상정하는 것은 이후의 계산을 단순화하기 위한 것이다. 본문에서 언급하는 숫자(14가지의 각기 다른 고정자본의 총회전기간인 110년)로부터 고정자본의 평균 회전기간을 계산하면 — 이들 각기 다른 고정자본들의 크기가 모두 동일하다고 가정한다면 — 그것은 10이 아니라 7.86년이 된다. 하지만 마르크스는 이하에서 자본의 회전기간과 "내구연한이 대체로 그 크기에 비례하여 증가"한다는 점을 지적하고 있다.
100 (v) "고정" — 새로 삽입된 것.
101 (v) 여기에 "작아지고"라고 썼다가 곧바로 지웠음.
102 (v) "자본" ← "생산물"
103 (v) 여기에 "생산하는"이라고 썼다가 곧바로 지웠음.
104 (v) "재생산하는" ← "생산하는(실질적인 의미에서 재생산하는)"
105 (v) "매일의" ← "매[년]의"(jäh[rlichen])
106 (v) "자신들의 생산물가치 가운데 … 부분" ← "자신들의 생산물가치"
107 (v) 여기에 "ist auch"라고 썼다가 곧바로 지웠음.
108 (v) "새로" — 새로 삽입된 것.
109 (v) 여기에 "모든"(der ganze)이라고 썼다가 곧바로 지웠음.
110 (v) 여기에 "소비자가"라고 썼다가 곧바로 지웠음.
111 (v) "연간" — 새로 삽입된 것.
112 (v) 다음에 "weder durch"라고 썼다가 곧바로 지우고 "weder in"이라고 썼다가 곧바로 지웠음.
113 (v) 다음에 "불변"(d. const[ante])이라고 썼다가 곧바로 지웠음.
114 (v) 여기에 "…으로 이루어지고"(aus)라고 썼다가 곧바로 지웠음.
115 (v) 여기에 "그리고"라고 썼다가 곧바로 지웠음.
116 (v) 여기에 "원료는 모두 소비되기 때문에 모두 보전되어야 한다"라고 썼다가 나중에 지

웠음.

117 (v) "이것들 속에 포함된 불변자본 부분은" ← "이것들 속에 포함된 불변자본은"
118 (v) "그 자체로 직접 소비될 수 있는 생산물" ← "생산물"
119 (v) "일부는" — 새로 삽입된 것.
120 (v) "…의 형태로만 들어간다." — 새로 삽입된 것.
121 (v) 여기에 "이것들은 …으로 이루[어진다]"(Sie beste[hen])라고 썼다가 곧바로 지웠음.
122 (v) 여기에 "… 사이의 교환"(Austausch gegen)이라고 썼다가 곧바로 "gegen"을 지웠음.
123 (k) "불변자본"(Capital constant,) — 자필 원고에는 쉼표가 없음.
124 (v) "원료(나무, 피댓줄, 밧줄 같은)" ← "원료(나무, 가죽, 아마 같은)" ← "유기질 원료"
125 (v) "원재료를 이룬다면" ← "노동재료라면"
126 (v) "형성하는" ← "생산하는"(Prod[uction])
127 (v) "기계의 소비수단(보조재료)" ← "**보조재료**"
128 (v) 여기에 "혹은 난방용"이라고 썼다가 곧바로 지웠음.
129 (v) 여기에 "역[축]의"라고 썼다가 곧바로 지웠음.
130 (v) "자신을 생산하는 데 사용된" — 새로 삽입된 것.
131 (v) 여기에 "수단"이라고 썼다가 곧바로 지웠음.
132 (v) "원료에 의해 소비되는" ← "원료에 들어가는"
133 (v) "광택제" — "Glanzstof[fe]"라고 썼다가 곧바로 지우고 "Glättungsstoffe"라고 썼음.
134 (v) 여기에 "B의 불변자본"이라고 썼다가 곧바로 지웠음.
135 (v) "새로운" — 새로 삽입된 것.
136 (v) 여기에 "다양한"이라고 썼다가 나중에 지웠음.
137 (v) 행을 바꿔 "B의 불변자본의 재생산 전체"라고 썼다가 곧바로 지웠음.
138 (v) 다음에 행을 바꾸어 "B의 불변자본에는"이라고 썼다가 곧바로 지웠음.
139 (v) "새로운" — 새로 삽입된 것.
140 (v) 여기에 "B의 총생산물과 불변자본의 비율이 $\frac{2}{3}$라고 하자"라고 썼다가 곧바로 지웠음.
141 (v) "노동재료" ← "원료"
142 (v) "등" — 새로 삽입된 것.
143 (k) 이 절을 이끄는 관계대명사 "der" — 자필 원고에는 "die"로 되어 있음.
144 (v) "일부만을" ← "일부를"
145 (v) 여기에 "직접"이라고 썼다가 나중에 지웠음.
146 (v) 여기에 "이들 생산[물]"이라고 썼다가 곧바로 지웠음.
147 (v) "산업적으로" — 새로 삽입된 것.
148 (v) "새로" — 새로 삽입된 것.
149 (v) 여기에 "그리고 기계에서 …의 형태로부터"라고 썼다가 곧바로 지웠음.
150 (v) "구매와 판매, 즉 교환을 통해서 이 모든 것이 다시 제자리를 잡게 된다." ← "이 생산영역에서는 자신의 불변자본을 현물형태로 공급하는 생산영역의 생산물의* 불변자본으로 자신의 불변자본을 직접 혹은 간접으로 보전한다. 그리하여 여기에서는 구매와 판매, 즉 교환을 통해서 이 모든 것이 다시 제자리를 잡게 된다." ← "이 생산영역에서는 자신의 불변자본을 현물형태로 공급하는 생산영역의 생산물을 통하여 현물형태로 직접 혹은 간접으로 보전한다. 그리하여 여기에서는 구매와 판매, 즉 교환을 통해서 이 모든 것이 다시 제자리를 잡게 된다."
　* "생산물의"의 표현을 "des Products" ← "eines Products"
151 (v) 여기에 있는 관계대명사 "die" ← "von denen beide"(그들 둘 모두로부터)
152 (v) 다음에 "…의 상대방의 요소들"이라고 썼다가 곧바로 지웠음.

153 (v) "(사용가치에 따른)" — 새로 삽입된 것.

154 (v) "이 자본의 보전이 상인(즉 상업자본가)에 의해 매개되는지의 여부는 이 문제에 아무런 영향도 미치지 않는다." — 이 문장은 마르크스가 새로 삽입한 것인데 그것은 적어도 다음 문단("그러나 이 생산물들은 새것이고 … 사실이 뚜렷하게 드러나지 않는가?")을 모두 집필한 다음에야 이루어진 것이다.

155 (v) 여기에 "기계와 철은 모두 새것이고, die s"라고 썼다가 곧바로 지웠음.

156 (v) 여기에 "그리고 똑같이 종자는"(← "전적으로 똑같이 종자는")이라고 썼다가 곧바로 지웠음.

157 (v) 여기에 "종자와 같이"라고 썼다가 곧바로 지웠음.

158 (v) 여기에 "노[동]"이라고 썼다가 곧바로 지웠음.

159 (e) G398~G438쪽과 G509~G517쪽을 보라.

160 (v) "거래액"의 표현을 "trad[e]" ← "Handel"

161 (e) G416쪽 18행~G432쪽 38행(본문 137쪽 둘째 문단~154쪽 첫째 문단 — 옮긴이)을 보라.

162 (v) "분해된다는" ← "교환된다는"

163 (v) "교환"의 표현을 "exchange" ← "trade"

164 (v) 여기에 "첫 번째"라고 썼다가 곧바로 지웠음.

165 (v) 여기에 "…사이의"(zweisch[en])라고 썼다가 곧바로 지우고 지금처럼 "nicht zwischen"로 썼음.

166 (v) 여기에 "구매자"라고 썼다가 곧바로 지웠음.

167 (v) "형태적인 측면" ← "형태"

168 (v) "논의해야" ← "살펴보아야"(betra[chten])

169 (e) 제14노트, 854~57쪽(MEGA② II/3.4)을 보라. 이런 삽입 부분들 가운데 몇몇 문제와 관련하여 마르크스는 이 책의 G624~G655쪽과 리카도의 축적이론에 대한 절(MEGA② II/3.3)에서 다시 다루고 있다. 확대재생산으로서의 축적 문제를 마르크스는 앙투안 셰르빌리에에 관한 절(MEGA② II/3.5)에서 다루고 있다.

170 (e) 프리드리히 리스트, 『경제학의 국민적 체계. 국제무역, 무역정책 및 독일의 관세동맹』, 제1권, 슈투트가르트, 튀빙겐, 1841년.

171 (v) 여기에 "이 사람에게는 …이기 때문에"라고 썼다가 곧바로 지웠음.

172 (v) "정부" ← "국가"

173 (v) "비생산적" ← ""생산적"("productiven)

174 (e) 이 인용문부터 다음 문단까지 강조는 모두 마르크스가 한 것.

175 (e) "생산적 노동과 비생산적 노동에 대한 구별에 기초해 있다" — 페리에의 원문에는 "그가 생산적 또는 비생산적이라고 하는 노동에 대한 매우 섬세한 구별에 기초해 있다"고 되어 있음.

176 (e) "국가적인 절약이 존재하긴 하지만 그것은 스미스가 말하는 것과는 다른 것이다. 그것은…" — 페리에의 원문에는 다음과 같이 되어 있음. "우리가 본 것은 국가적인 절약이 존재하지만 스미스가 그들에게 권하는 것과는 매우 다르다는 것이다. … 한 나라의 절약은…"

177 (e) 이 인용문은 제7노트(런던, 1859~62년), 191쪽에서 옮겨 쓴 것.

178 (v) "다시" — 새로 삽입된 것.

179 (v) 여기에 처음에는 "그것들은 산업적으로 소비되어야 한다. 예를 들면"이라고 쓰고 다시 "예를 들면"을 "soll d. Re"로 고쳐 썼다가 곧바로 모두 지우고 본문처럼 바꿈.

180 (v) 여기에 "개인적 소비로"라고 썼다가 곧바로 지웠음.

181 (v) "원료도" ← "원료는"

182 (v) 여기에 "소득으로"라고 썼다가 곧바로 지웠음.

183 (v) "노동재료" ← "원료"

184 (v) 여기에 "…라고 가정한다면"이라고 썼다가 곧바로 지웠음.

185 (v) "**노동생산성**" 위에 삽입 표시 없이 "혹은 …의 양"(oder das Quantum d. x)이라고 썼다가 곧바로 지웠음.

186 (e) 이 인용문에서 강조는 모두 마르크스가 한 것.

187 (v) "연간" — 새로 삽입된 것.

188 (v) "가정" ← "관[점]"

189 (v) "않고" — "nicht wie"라고 썼다가 곧바로 "wie"를 지웠음.

190 (v) "가치 가운데 … 부분"(Werththeil) ← "부분"(Theil)

191 (v) 여기에 "양의 노동"(Quantum Arbeit in)이라고 썼다가 곧바로 "Arbeit in"을 지우고 "지불된"이라고 썼다가 곧바로 지우고 원래대로("Quantum Arbeit") 썼음.

192 (v) 여기에 "=20*1)실링이라면 100노동일=200*2)실링=20*3)파운드스털링)=20*4)파운드스털링일 것이고, 10파운드스털링은 임금, 10파운드스털링은 이윤(지대)이 될 것이다"라고 썼다가 곧바로 지웠음.

*1) "20" ← "80"

*2) "200" ← "100"

*3) "20" ← "12"

*4) "20" ← "12"

193 (v) "새로운" — 새로 삽입된 것.

194 (v) "새로운" — 새로 삽입된 것.

195 (v) 여기에 "이 생산물은 매년"이라고 썼다가 곧바로 지웠음.

196 (v) 여기에 "…의 숫자가 …이라면"(Wäre die Anzahl d.)이라고 썼다가 곧바로 지웠음.

197 (v) 여기에 "2[5]의"라고 썼다가 곧바로 지웠음.

198 (v) "증가된" — 새로 삽입된 것.

199 (v) 여기에 "일부는"이라고 썼다가 곧바로 지웠음.

200 (v) "부분" ← "노동"

201 (v) "또한" — 새로 삽입된 것.

202 (e) 이 문단의 인용문에서 강조는 모두 마르크스가 한 것.

203 (e) "**자본**"은 스미스의 원문에는 단순하게 강조되어 있다(마르크스는 이것을 밑줄 두 개로 강조함 — 옮긴이).

204 (e) "분업이 발전함에 따라서 같은 수의 사람이 … 시간을 단축할 수 있는 새로운 기계가 대량으로 발명되기에 이른다." — 「인용문 노트」, 64쪽에서 옮겨 쓴 것.

205 (e) 이 인용문은 제7노트(런던, 1859~62년), 188쪽에서 옮겨 쓴 것.

206 (e) 여기부터 이하 G582쪽 끝까지 인용문에서의 강조는 모두 마르크스가 한 것.

207 (e) "지대"(revenu de terre) — 스미스의 원문에는 "rente de terre"로 되어 있음.

208 (e) "유럽의 부유한 나라들, 즉 … 부분이 매우 적은 경우" — 스미스의 원문에는 다음과 같이 되어 있음. "그러므로 지금 유럽의 부유한 나라들에서는 토지생산물 가운데 상당히 많은 부분(종종 거의 대부분)이 부유하고 독립적인 차지농의 자본을 보전하고 다른 부분은 차지농의 이윤과 토지소유자의 지대를 보전하게 되어 있다. 그러나 과거 봉건제가 지배적이었던 나라들에서는 생산물 가운데 적은 부분으로도 농업에 사용된 자본을 보전하기에 충분했다." 강조는 모두 마르크스가 한 것.

209 (e) "상업이나 공업도 이와 마찬가지이다. … 이윤은 상당히 컸다." — 스미스의 원문에는

다음과 같이 되어 있음. "유럽의 부유한 나라들에서는 오늘날 상업과 공업에 큰 자본이 사용되고 있다. 그러나 과거 이들 나라에서는 상업도 매우 미약하고 좁은 범위에서만 이루어지고 있었고 공장도 매우 단순하고 영세한 규모로만 이루어져 있었기 때문에 극히 소규모의 자본으로도 충분했다. 그럼에도 불구하고 그 자본은 매우 큰 이윤을 안겨다 주었다."

210 (e) "오늘날 유럽의 선진국들에서 이자는 어디에서도 6퍼센트를 넘지 않으며 아주 부유한 나라들에서는 2~4퍼센트에 불과하다." — 스미스의 원문에는 다음과 같이 되어 있음. "오늘날 점차 부유해지고 있는 유럽 나라들에서는 이자율이 아무리 높아도 6퍼센트를 넘지 않으며 특히 부유한 나라들에서는 2~4퍼센트에도 미치지 못하고 있다."

211 (v) 여기에 "인민"이라고 썼다가 곧바로 지웠음.

212 (e) "그래서 예를 들어 낮은 계층의 주민들이 … 전반적으로 주민들이 게으르고 방탕하고 가난한 편이다. …" — 스미스의 원문에는 다음과 같이 되어 있음. "낮은 계층의 주민들이 투하된 자본에 의존하여 살아가는 공업도시나 상업도시에서는, 영국과 네덜란드 대부분의 도시들에서 볼 수 있듯이, 전반적으로 주민들이 부지런하고 검소하고 절약적인 편이다. 반면 로마나 베르사유처럼 항상 또는 일시적으로 궁정이 있음으로써 그 덕분에 유지되는 도시, 그리고 낮은 계층의 주민들이 낭비와 타인의 소득에 의존하여 살아가는 도시들에서는 전반적으로 주민들이 방탕하고 가난하다. …"

213 (e) "**자본 총액의 증가 혹은 감소**" — 강조는 마르크스가 한 것.

214 (e) "연간 소득 가운데 지출되는 부분은 자신들의 소비를 보전할 수 있는 어떤 것도 남기지 않고 모두 소비해버리는 서비스노동자들에 의해 소비된다." — 스미스의 원문에는 다음과 같이 되어 있음. "부유한 사람들의 소득 가운데 매년 지출되는 부분은 대체로 무위도식자들과 서비스노동자들에 의해 소비된다."

215 (v) 여기에 "두 번째"라고 썼다가 곧바로 지웠음.

216 (e) "노동자들" — 스미스의 원문에는 "노동자, 제조업자, 수공업자"로 되어 있음.

217 (e) "자신의 연간 저축에 의해 생산적 노동자 수를 추가로 늘릴 수 있는 공공 작업장을 창설하는 검약가" — 스미스의 원문에는 다음과 같이 되어 있음. "검약가는 자신의 연간 저축을 가지고 그해와 다음 해의 생산적 노동자의 수를 늘릴 뿐 아니라 공공 작업장의 창설자로서…"

218 (e) "**이윤과 함께 재생산할**" — 강조는 마르크스가 한 것.

219 (v) "교회" 앞에 정관사 "die"를 새로 삽입했음.

220 (e) "궁정에 근무하는 사람들, 교회, 해군, 육군" — 스미스의 원문에는 "화려한 궁정의 많은 귀족들, 큰 교회의 성직자, 해군과 육군"으로 되어 있음.

221 (e) "**이런 종류의 사람들** … **이들은 모두 다른 사람들의 노동생산물로 먹고산다.**" — 강조는 마르크스가 한 것.

222 (v) "그 결과" — 새로 삽입된 것.

223 (v) "이 순서는 생산적 노동을 얼마나 고용했는지에 따른 것이다." — 이 문장 전체가 새로 삽입된 것.

224 (e) "**생산적 노동자**" — 강조는 마르크스가 한 것.

225 (e) 이 문단에서 강조는 모두 마르크스가 한 것.

226 (e) G333쪽 5행에 관한 해설(부속자료 15쪽 아래쪽에 있는 주 3 — 옮긴이)을 보라.

227 (k) 자필 원고에는 닫는 괄호가 없음.

228 (v) "그는 잉여가치의 원천에 대한 스미스의 견해에도 곧바로 다음과 같은 이유로 반대한다." ← "그는 잉여가치의 원천에 대한 스미스의 견해에 곧바로 반대하기 때문에"

229 (e) 여기부터 다음 문단까지 강조는 모두 마르크스가 한 것.

230 (e) 여기에서 말하고 있는 것은 다음 부분이다. "한 나라에서 유통되고 있으며 또한 그 나

라의 연간 토지 및 노동의 생산물을 유통시켜 소비자에게 분배해주는 금화와 은화는 상인의 수중에 있는 모든 화폐와 함께 전체적으로 하나의 죽은 자산을 이룬다. 이것은 그 나라의 자본 가운데 매우 소중한 부분이면서 전혀 생산적이지 않은 부분이다."(애덤 스미스, 『국부론』, 제르멩 가르니에 새로 옮김, 제2권, 파리, 1802년, 290쪽)

231 (v) "페리에, 가르니에, 로더데일" ← "가르니에, 로더데일, 페리에"

232 (e) 이 인용문은 스미스의 원문에는 다음과 같이 되어 있음. "그들은 관리이며 다른 사람들의 노동이 만들어낸 연간 생산물 가운데 일부로 살아간다. 그들이 제공하는 서비스는 그것이 아무리 명예롭고 아무리 유용하고 아무리 필요한 것이라 할지라도 그것과 동일한 양의 서비스를 만들어낼 수 있는 어떤 것도 생산해내지 못한다. 연간노동의 결과물인 국방, 안전, 방위 등은 …"

233 (e) 이 인용문은 스미스의 원문에는 다음과 같이 되어 있음. "배우의 대사, 웅변가의 연설, 음악가의 화음 등과 같은 서비스노동은 그것이 생산되는 순간 곧바로 사라져버린다."

234 (v) 여기에 "비물[질적] 가치"라고 썼다가 곧바로 지웠음.

235 (v) "그는 계속해서 이렇게 설명한다." ← "그는 이렇게 덧붙인다."

236 (v) "독창적"의 표현을 "seine Art Originalität" ← "die Art Originalität"

237 (v) 여기에 "노동[자]"라고 썼다가 곧바로 지우고 "예를 들어 목수는 …해야만 한다"라고 썼다가 곧바로 지웠음.

238 (e) 이 문단에서 "**세**", "**결과물**", "**다른 모든 노동과 마찬가지로**"의 강조는 마르크스가 한 것.

239 (v) "필요 이상으로" — 새로 삽입된 것.

240 (v) 여기에 "접시"라고 썼다가 곧바로 지우고 "탁자 위에 올릴 생활수단"이라고 썼다가 곧바로 지웠음.

241 (v) "정도"(etwa) — 새로 삽입된 것.

242 (v) "의사가 지나치게 많아졌다면" ← "지나치게 많은 의사가 생산되었다면"

243 (v) "주어진" ← "일정한"

244 (v) "결과물" ← "노동[량]"

245 (v) "잘" — 새로 삽입된 것.

246 (v) 다음에 "의회에서 논의되는"이라고 썼다가 곧바로 지웠음.

247 (v) 여기에 "사치[품]으로서의"라고 썼다가 곧바로 지웠음.

248 (k) 자필 원고에는 닫는 괄호가 빠져 있음.

249 (e) 여기부터 G589쪽 끝까지 강조는 모두 마르크스가 한 것.

250 (e) "**임대한**" — 강조는 마르크스가 한 것.

251 (e) "**임대행위**" — 강조는 마르크가 한 것.

252 (e) 여기부터 G591쪽 끝까지 강조는 모두 마르크스가 한 것.

253 (v) "상품" 앞에 정관사 "die"를 썼다가 나중에 지웠음.

254 (v) "지출하고" ← "교환하고"

255 (e) "이들의 지출 가운데 일부는 어느 정도 생산적인 것일 수도 있는데 예를 들어 집을 짓거나 토지를 개량하는 경우가 거기에 해당한다. 그러나 이것은 무위도식자들이 일시적으로 생산적 노동을 지휘하는 극히 예외적인 경우이다." — 데스튀트의 원문에는 다음과 같이 되어 있음. "이런 지출 가운데는 예를 들어 집을 짓거나 토지를 개량하는 것과 같이 다소 이익을 노리는 것들도 있을 수 있다. 그러나 이런 유형의 소비자가 유익한 기업을 경영하고 생산적 노동자를 고용하는 계급 속에 일시적으로 포함되는 것은 특수한 경우이다."

256 (v) 여기에 "옳은 점"이라고 썼다가 곧바로 지웠음.

257 (k) "자본가를"(aus dem Capitalisten) — 자필 원고에는 "자본가에게서"(in dem Capitalisten)로 되어 있음.

258 (v) "본래적 의미의"(eigentliche) ← "참된 의미의"(wirkliche)
259 (k) 자필 원고에는 닫는 괄호가 빠져 있음.
260 (e) "이 재원으로부터 지불된 소비는" — 데스튀트의 원문에는 "이 부로부터 지불되는 소비는 임금의 소비가 되는 것으로"라고 되어 있음.
261 (e) 이 문단의 강조는 모두 마르크스가 한 것.
262 (v) "그들 자신과" — 새로 삽입된 것.
263 (e) 여기부터 G593쪽의 첫 문단("… **더 비싸게 판매하는** 방식으로 이윤을 만들지는 못한다")까지 강조는 모두 마르크스가 한 것.
264 (v) "더 비싸게"의 표현을 "theurer, als es ist" ← "theurer?"
265 (v) 여기에 "이[윤]"이라고 썼다가 곧바로 지웠음.
266 (k) "A" — 자필 원고에는 "B"로 되어 있음.
267 (v) "생산물 가운데 일부를" ← "생산물을"
268 (v) 여기에 "사실 노동자들의 전체 소비는 …에 속한다"라고 썼다가 곧바로 지웠음.
269 (v) "판매한다."고 문장을 끝내고 "그러나 노동자들은 그에게 …하므로"라고 썼다가 곧바로 지웠음.
270 (v) "회수할"(zurück erhalten)의 "zurück" — 새로 삽입된 것.
271 (v) 여기에 "상[품]"(die Waa[re])이라고 썼다가 곧바로 지웠음.
272 (v) "… 받는다고"의 "daß" — 새로 삽입된 것.
273 (v) "자신의" — 새로 삽입된 것.
274 (v) 여기에 "nicht"(…이 아니다)라고 썼다가 곧바로 지웠음.
275 (e) "부분"(la portion) — 데스튀트의 원문에는 "la partie"로 되어 있음.
276 (v) 여기에 "일부 혹은 전부를"이라고 썼다가 나중에 지웠음.
*277 (v) 계속해서 다음과 같이 썼다가 곧바로 지웠음. ""이 무위도식하는 사람들의 소득은 어디에서 오는가? 이런 불합리한 점들은 둘 다 무시하자. '그것은 그들의 자본을 움직이는 사람들이 **자신들의 이윤으로부터** 지불하는 임대료에서 비롯된 것이 아닌가?"(246쪽) 따라서 데스튀트는 이 이윤 — 지대는 이 이윤으로부터 지불된다 — 의 원천을 이 지대를 가지고 다시 산업자본가의 생산물이 구매되는 방식으로 설명하지 않고 있다."
278 (k) "가치" — 자필 원고에는 "명목가격"으로 되어 있음.
279 (v) "그런데 O가 100파운드스털링어치의 소비를 원한다고 하자." — 이 문장 전체가 새로 삽입된 것.
280 (v) "(혹은 토지가치)" — 새로 삽입된 것.
281 (v) "점점 더 많은" — 새로 삽입된 것.
282 (e) 이 인용문에서 강조는 모두 마르크스가 한 것.
283 (v) 여기에 "일부분"이라고 썼다가 곧바로 지웠음.
284 (v) "(화폐가치의 상승분뿐 아니라)" — 새로 삽입된 것.
285 (v) "경쟁의 압박에 몰리지 않기 때문에" — 새로 삽입된 것.
286 (v) 여기에 "법적인 …에 의하여"(durch die legale)라고 썼다가 곧바로 지웠음.
287 (k) "상품에 포함된"이라는 절을 이끄는 관계대명사 "die" — 자필 원고에는 "das"로 되어 있음.
288 (v) 여기에 "사실상 왜 …에 지나지 않는 지대가 …하는지를 설명해준다"라고 썼다가 곧바로 지웠음.
289 (v) "자신이"(für sich selbst) — "für sich"는 새로 삽입된 것.
290 (v) 여기에 "총이윤이"라고 썼다가 곧바로 지웠음.
291 (v) "처음에는" — 새로 삽입된 것.
292 (v) "쏟아내지"의 표현을 "ausgiessen" ← "ausstr[ömen]"

293 (e) 프랑스 학술원은 다양한 계급과 학자들로 구성된 프랑스 최고의 학술기구이다. 데스튀트 드 트라시는 윤리정치아카데미의 회원이었다.

294 (e) 여기부터 이 문단의 강조는 모두 마르크스가 한 것.

295 (v) 여기에 "Profite komm[en]"라고 썼다가 곧바로 지우고 "Profite, die d."라고 썼다가 곧바로 지웠음.

296 (v) 여기에 ", 혹은 그들의 노동을 모두 판매한, 하지만"(, oder deren Arbeit ganz verkauft, aber in)이라고 썼다가 곧바로 지웠음.

297 (k) 자필 원고에는 이 자리에 "혹은"이라는 단어가 있음.

298 (k) "이로부터 데스튀트는 … 결론을 내린다"(Herr D. schließt daraus: nicht zu) — 자필 원고에는 "Herr D. schließt daraus nicht: zu"로 되어 있음.

299 (e) 이 문단과 다음 문단의 강조는 모두 마르크스가 한 것.

300 (v) 여기에 "이것은 단지 …을 의미할 뿐이다"라고 썼다가 곧바로 지웠음.

301 (e) "우리의 능력이 모든 부의 유일한 원천이고 우리의 노동이 다른 모든 부를 생산하며 잘 관리된 노동은 모두 생산적이다." — 데스튀트의 원문에는 다음과 같이 되어 있음. "이와 마찬가지로 우리의 능력이 모든 부의 유일한 원천이고 우리의 노동만이 다른 모든 부를 생산하며 잘 관리된 노동은 모두 생산적이라는 것을 당신들이 인정하는 한"

302 (v) "단지 …만이"(blos) — 새로 삽입된 것.

303 (e) 이 인용문에서 강조는 모두 마르크스가 한 것.

304 (v) "물적" — 새로 삽입된 것.

305 (v) 여기에 "부분"이라고 썼다가 곧바로 지웠음.

306 (v) "생활에 필요한 부분" ← "생활수단"

307 (v) 여기에 "금을 모으[고]"라고 썼다가 곧바로 지우고 "금(Go[ld])의 축장"이라고 썼다가 곧바로 지웠음.

308 (v) 여기에 "현실의 생[산]"이라고 썼다가 곧바로 지웠음.

309 (v) 여기에 "D. Wa"라고 썼다가 곧바로 지우고 "노동자의 타인을 위한 생산"(Das Product der Arbeiter für andre, so)이라고 썼다가 곧바로 지웠음.

310 (e) 이 인용문은 「인용문 노트」, 33쪽에서 옮겨 쓴 것.

311 (k) 자필 원고에는 닫는 괄호가 빠져 있음.

312 (v) "축적의 향락 대신 향락의 축적을 지향하게 된다면" ← "축적을 즐기기보다 향락에 몰입하게 되면"

313 (v) "과잉생산" ← "생산"

314 (v) "산업" — 새로 삽입한 것.

315 (e) 맬서스의 견해를 상세히 분석하고 난 다음 마르크스는 제14노트, 778~81쪽과 810~13쪽(MEGA② II/3.4)에서 익명의 두 저작을 다루고 있는데 그 저작들 중 하나는 리카도의 관점에서 맬서스를 비판하는 것이고 다른 하나는 리카도를 비판하는 맬서스의 견해를 변론하는 것이었다. 전자의 제목은 『최근 맬서스가 주장하는 수요의 성질과 소비의 필요에 대한 원리 연구』(런던, 1821년)이다. 후자의 저작은 존 카제노브가 쓴 것으로 『경제학 개론: 부의 생산, 분배, 소비의 법칙에 대한 짤막한 고찰』(런던, 1832년)이라는 제목이다.

316 (v) "살펴볼" ← "언급할"

317 (v) "자신은" — 새로 삽입된 것.

318 (v) "특히" — 새로 삽입된 것.

319 (e) 윌리엄 페일리, 『도덕철학 및 정치철학의 원리』; 인용 출처는 토머스 로버트 맬서스, 『인구의 원리에 관한 에세이』, 제4권, 파리, 1836년, 109쪽.

320 (e) 데스튀트의 원문에는 여기에 "그 척도인"이라는 구절이 들어 있음.

321 (k) "니콜라이"(Nicolas) — 자필 원고에는 "Nicholas"로 되어 있음.
322 (e) 이 문단과 다음 문단까지의 강조는 모두 마르크스가 한 것.
323 (v) "생산" ← "생산양식"
324 (k) "분업이"(Arbeit,) — 자필 원고에는 쉼표가 없음.
325 (v) "예를 들어 물적 분업이 정신적 분업의 전제라든가 하는" — 새로 삽입된 것.
326 (v) 다음에 "sich" — 새로 삽입된 것.
327 (v) "유형도"(auch die Art) — auch 다음에 "그들의"(ihre)라고 썼다가 곧바로 지웠음.
328 (v) "또한" — 새로 삽입된 것.
329 (v) "지배계급의 … 요소" ← "입[장]" ← "계급"
330 (v) "주어진" ← "일[정한]"
331 (v) "자유로운" — 새로 삽입된 것.
332 (v) "생산영역" ← "생산수[단]"
333 (e) 마르크스가 여기에서 가리키는 것은 볼테르에 대한 반론으로 레싱이 쓴 『함부르크 연극론』(1767~69년)이다.
334 (e) 『앙리아드』(*Henriade*)는 볼테르가 앙리 4세를 대상으로 만든 서사시. 1723년 초판 발행.
335 (v) "생산물" ← "재화"
336 (e) 여기부터 이 인용문 끝까지의 강조는 마르크스가 한 것.
337 (k) "전제하지만"(admettent) — 자필 원고에는 "soumettent"으로 되어 있음.
338 (e) "**소비**" — 강조는 마르크스가 한 것.
339 (e) "**생산**" — 강조는 마르크스가 한 것.
340 (k) "물적" — 자필 원고에는 "비물질적"으로 되어 있음.
341 (v) "반복적으로 따라 하던" ← "모방하던"
342 (e) "**생산한**" — 강조는 마르크스가 한 것.
343 (v) "그 결과물" ← "그의 서비스노동"
344 (v) 여기에 "부르[주아]"라고 썼다가 곧바로 지웠음.
345 (v) 여기에 "직접[적으로]"라고 썼다가 곧바로 지웠음.
346 (k) "생산의 주체인"(… Production,) — 자필 원고에는 쉼표가 빠져 있음.
347 (v) 여기에 "그의 활[동들]"이라고 썼다가 곧바로 지웠음.
348 (v) "상품" ← "그리고 교환가치"
349 (k) "202" — 자필 원고에는 "201"로 되어 있음.
350 (e) "**서비스노동**" — 강조는 마르크스가 한 것.
351 (e) "**가치**" — 강조는 마르크스가 한 것.
352 (k) "204" — 자필 원고에는 "202"로 되어 있음.
353 (v) "그들의 **서비스노동**" ← "그들"
354 (k) "공산품"(Manufacturwaaren) — 자필 원고에는 "Manufacturen"으로 되어 있음.
355 (e) 여기부터 G609쪽까지의 강조는 모두 마르크스가 한 것.
356 (v) 여기에 "sie d. Capital d."라고 썼다가 곧바로 지웠음.
357 (v) "그것이 아니라면 … 하나의 형태일 뿐이라는 것을 알아야만 한다." — 새로 삽입된 것.
358 (k) "판매될" — 자필 원고에는 "구매될"로 되어 있음.
359 (v) 여기에 "노동 — 따라서 새로운 사용가치"라고 썼다가 곧바로 지웠음.
360 (k) "1843" — 자필 원고에는 "1842"로 되어 있음.
361 (e) 로시의 원문에는 여기에 "간접적 생산수단은 무수히 많다"라는 구절이 있음.
362 (e) "**간접적 수단**" — 강조는 마르크스가 한 것.
363 (e) "**혼자서도**" — 강조는 마르크스가 한 것.

364 (e) "**구매자들** 가운데 어떤 사람은 생산물이나 **노동**을 구매하여 **그것을 직접 소비하는**" — 강조는 마르크스가 한 것.

365 (v) "하인의 노동"(die Arbeit des Bedienten) ← "die" 다음에 "Bed[ienten]"이라고 썼다가 곧바로 지웠음.

366 (k) "노동자" — 자필 원고에는 "노동"으로 되어 있음.

367 (e) "바로 그렇기 때문에 스미스에게 관청의 공무원은 생산적 노동자가 아니다." — 로시의 원문에는 다음과 같이 되어 있음. "만일 스미스가 깊이 생각한다면, 그는 공무원의 노동이 사실 명예롭고 유용하며 필요한 것이긴 하지만 생산적인 것은 아니라고 말하지는 않았을 것이다."

368 (e) 이 인용문에서 강조는 모두 마르크스가 한 것.

369 (v) 여기에 "그 결[과물]"이라고 썼다가 곧바로 지웠음.

370 (e) "우리는 … 어떤 힘의 사용을… 이기게 할 수도, 지게 할 수도 있다." — 로시의 원문에는 다음과 같이 되어 있음. "우리는 이 힘의 일정한 사용을 구매할 수 있다. … 변호사의 변론이 내 소송을 이기게 해줄까? 누가 그것을 알겠는가?"

371 (e) 여기부터 G612쪽의 마지막 문단 인용문("… 둘 사이에는 전혀 차이점이 없지 않은가!", 같은 책, 277쪽)까지의 강조는 모두 마르크스가 한 것.

372 (v) "협업"(Cooperativarbeit) ← "협력"(Cooperation)

373 (k) "노동자" — 자필 원고에는 "노동"으로 되어 있음.

374 (v) "생명체의 형태" ← "형태"

375 (v) "그런데 그것이 첫 번째 교환의 형태로 만들어진다면"의 표현을 "Laß aber in der ersten Form die échanges machen" ← "Laß aber die ersten Form d. échanges zu*"
* "zu" ← "erh"

376 (v) "자본"의 표현을 "Capital" ← "Capital;"

377 (e) "**스스로 수행해야만**" — 강조는 마르크스가 한 것.

378 (v) "비생산적" ← "생산적"

379 (k) "노동자들" — 자필 원고에는 "노동"으로 되어 있음.

380 (v) "그에 따라 … 제외되는데"(damit ausgeschlossen) — 새로 삽입된 것.

381 (k) "모든"(alle) — 자필 원고에는 "aller"로 되어 있음.

382 (v) "비생산적" ← "생산적"

383 (v) "**시간**" ← "**노동**"

384 (v) 여기에 "개인적인"이라고 썼다가 나중에 지웠음.

385 (v) 여기에 "대부분"이라고 썼다가 나중에 지웠음.

386 (k) "만든다"(macht) — 자필 원고에는 "부여한다"(giebt)로 되어 있음.

387 (k) "샴페인의 소비" — 자필 원고에는 "샴페인의 생산"으로 되어 있음.

388 (v) 여기에 "제국"이라고 썼다가 곧바로 지웠음.

389 (v) "세금징수업자, 기생소득자" — 새로 삽입된 것.

390 (v) "고전경제학"(klassischen Oekonomie) ← "과거의 경제학"(alte[n] Oekonomie)"

391 (v) 여기에 "후대의 추종자들이 간증하는 방식으로 x"라고 썼다가 곧바로 지웠음.

392 (v) "기독교적인 장식을 붙여서" — 새로 삽입된 것.

393 (k) "광적"(toller) — 자필 원고에는 "tolle"로 되어 있음.

394 (v) "해악을 끼칠 뿐이라는"(nur schadet,) 다음에 "sich"라고 썼다가 곧바로 지웠음.

395 (e) "구별"(distinction) — 찰머스의 원문에는 "정의"(definition)라고 되어 있음.

396 (e) 이 인용문은 「인용문 노트」, 19쪽에서 옮겨 쓴 것. 이 인용문에서 강조는 모두 마르크스가 한 것.

397 (e) "**성직자들에 대한 스미스의 증오**" — 강조는 마르크스가 한 것.
398 (k) "122" — 자필 원고에는 "121, 122"로 되어 있음.
399 (e) 이 인용문은 제7노트(런던, 1859~62년), 212쪽에서 옮겨 쓴 것.
400 (e) "그를 위해 봉사하는"(who are under him) — 스미스의 원문에는 "who serve under him"으로 되어 있음.
401 (e) 이 인용문에서 강조는 모두 마르크스가 한 것.
402 (v) "성직자" — 새로 삽입된 것.
403 (v) 여기에 "마지막으로 …과 그들의 향락을 위해 존재하면서 그들에게 장식품과 같은 역할을 하는 하인과 광대의 무리들, wie für das d.x"라고 썼다가 곧바로 지웠음.
404 (v) "반드시 필요한" — 새로 삽입된 것.
405 (v) "물적" — 새로 삽입된 것.
406 (v) 여기에 "d. 절대군[주]"라고 썼다가 곧바로 지우고 "in"이라고 썼다가 곧바로 지웠음.
407 (v) "대변인" ← "해설[자]"(Ausle[ger])
408 (e) "**이 노예집단은 터키인들이**" — 강조는 마르크스가 한 것.
409 (e) "**유일한 기계**" — 강조는 마르크스가 한 것.
410 (e) "**일시적으로만 존재하는 성질**" — 강조는 마르크스가 한 것.
411 (e) "**내구성**" — 강조는 마르크스가 한 것.
412 (v) 여기에 "그것이 유[통수단]으로 … 않는"이라고 썼다가 곧바로 지웠음.
413 (e) 여기에서 마르크스가 말하는 부분은 『경제학 비판을 위하여』 제1권(베를린, 1859년) "화폐축장" 절의 109쪽이다. 그는 거기에서 페티의 『정치 산술』(런던, 1699년), 196쪽을 인용하고 있다. 이 인용문을 마르크스는 G459쪽에서 다시 언급하는데 거기에서 그는 스미스가 부분적으로 중상주의 사상으로 되돌아간 것을 지적하고 있다.
414 (e) 여기에서 마르크스가 말하는 부분은 스미스의 저작 『국부론』 제2편 제3장 뒷부분 6개 절이다. 스미스는 거기에서 어떤 종류의 지출이 사회적 부의 증대에 크게 기여하고 적게 기여하는지를 다루고 있다. 스미스는 이것이 사용대상들의 성질의 차이나 그 지속성에 의존한다고 생각하고 있다. 스미스의 이런 견해를 마르크스는 G599쪽 데스튀트 드 트라시에 관한 부분에서 언급하고 있다.
415 (v) 다음에 "소멸하는지"(auf[hebt])라고 썼다가 곧바로 지웠음.
416 (e) "생산적 노동은" — 스미스의 원문에는 "그런데 공업노동자의 노동은"이라고 되어 있음.
417 (e) "**가치**" — 강조는 마르크스가 한 것.
418 (k) "똑같은"(denselaben) — 자필 원고에는 "derselbe"로 되어 있음.
419 (v) "정도의 차이는 있으나" — 새로 삽입된 것.
420 (v) "사용가치" ← "형태"
421 (v) 여기에 "노동"이라고 썼다가 곧바로 지우고 "zu"라고 썼다가 곧바로 지우고 "이윤"이라고 썼다가 곧바로 지웠음.

d) 네케르

1 (e) 제7노트와 제8노트(G331쪽을 보라)에 있는 목차로 미루어 볼 때 마르크스는 원래 네케르를 먼저 다루고 리카도로 넘어갈 생각이었다. 그런 다음 그는 중농주의자들과 같은 시기에 살면서 계몽적이고 중농주의적인 부르주아 자유주의 이념에 반대한 랭게를 네케르 다음에 다루기로 결심했다. 이 시기에 마르크스는 이미 랭게에 대한 연구를 별도의 노

트(나중의 제10노트에 해당한다)에 집필해두고 있었다. 마르크스는 제9노트의 408~19쪽 사이에서 작업을 중단하고 별도의 노트에 "여록. 케네의 경제표"와 랭게에 대한 논의를 집필했다. 그래서 이미 위에서 언급한 랭게 저작의 인용문은 별도 노트의 18~21쪽, 즉 나중의 제10노트 438~41쪽에 있는 것들이다(G657~G662쪽을 보라).

2 (v) 여기에 "증가하고"라고 썼다가 곧바로 지웠음.

3 (k) "지대" — 자필 원고에는 "소득"으로 되어 있음.

4 (v) "…의 생산력"(Productivkraft der) — "der" 다음에 "Nicht"라고 썼다가 곧바로 지웠음.

5 (e) 마르크스가 사용한 네케르의 저작은 아마도 1786년 로잔에서 출판된 판본으로 보인다. 1789년에 출판된 저작집은 찾을 수 없다.

6 (e) 이 문단에 있는 인용문은 제7노트(런던, 1859~62년), 181쪽에서 옮겨 쓴 것(단, G621쪽 30~31행, G622쪽 20~21행의 마르크스가 붙인 설명〔"(여기에는 이미 … 이야기되고 있다", "〔여기에서 네케르가 … 축적이다〕" — 옮긴이〕은 제외). 여기부터 G622쪽까지의 인용문에서 강조는 모두 마르크스가 한 것.

7 (v) 여기에 "La *classe* de la société"(사회계급은)라고 인용문을 썼다가 곧바로 지웠음.

8 (v) "소유자"의 표현을 "Eigenthümer" ← "Besit[zer]"

9 (e) "자산" — 네케르의 원문에는 "자산의 몫"이라고 되어 있음.

10 (e) "고려해야만"(ne faut pas perdre de vue) — 네케르의 원문에는 "pas" 대신에 "point"로 되어 있음.

11 (e) 이 인용문은 제7노트(런던, 1859~62년), 181쪽에서 옮겨 쓴 것.

12 (e) 이 문단은 제7노트(런던, 1859~62년), 181쪽에서 옮겨 쓴 것. 이 인용문 중의 강조는 모두 마르크스가 한 것.

13 (v) 여기에 "그리고"라고 썼다가 곧바로 지웠음.

14 (k) "재산의"(des fortunes) — 자필 원고에는 "de la fortune"으로 되어 있음.

15 (e) "예비재원"(réserve) — 네케르의 원문에는 "ressource"로 되어 있음.

16 (v) "비웃고"의 표현을 "verhöhnt" ← "bela[cht]"

17 (e) 이 인용문은 제7노트(런던, 1859~62년), 181쪽에서 옮겨 쓴 것.

18 (k) "이 사람"(diese) — 자필 원고에는 "dieser"로 되어 있음.

19 (e) "**가치와 가격**" — 강조는 마르크스가 한 것.

'20 (v) 여기부터 다음 문단 끝까지는 "토지소유자의 소득에"를 제외하고 종이가 찢어져서 원문이 유실된 것을 인용된 원전에 의거하여 복원한 것.

여록. 케네의 경제표

1 (v) "X-422" ← "1"

2 (e) 1862년 5월 말/6월 초쯤 제9노트의 408~19쪽 사이에서(G638쪽 29행~30행에 관한 해설〔부속자료 85쪽 주 103 — 옮긴이〕을 보라) 마르크스는 집필을 중단하고 별도의 노트에 이 여록을 작성했다. 1862년 6월 중순 그는 이 별도의 노트를 제10노트로서 "5) 잉여가치론"에 삽입하기로 결정하고 거기에 맞추어 쪽수를 변경했다.

마르크스가 여기에서 사용한 경제표는 슈말츠의 『경제학』 제1권, 파리, 1826년, 329쪽에서 발췌한 것이다. 그는 슈말츠에 대해 논할 때도(G362쪽, G623~G624쪽) 이 책을 사용했다.

3 (k) "…이라고"(als) — 자필 원고에는 "…으로부터"(aus)로 되어 있음.

4 (v) "(이제는 가공된 형태를 취하는) 생산물" ← "총생산물". 파란 잉크로 써넣음.

5 (v) "유통" ← "소[비]"
6 (v) "소비" ← "생산". 파란 잉크로 나중에 써넣음.
7 (v) 다음에 "zurück"라고 썼다가 곧바로 지웠음.
8 (v) "네" ← "세"
9 (v) "10억의 가격에" ← "10억에"
10 (v) "423" ← "2"
11 (v) 여기에 "10억의 화폐"라고 썼다가 곧바로 지웠음.
12 (v) "하나의"의 표현을 "einen" ← "den"
13 (v) 여기에 "임[금]"이라고 썼다가 곧바로 지웠음.
14 (v) 여기에 "현실[적인]"이라고 썼다가 곧바로 지웠음.
15 (v) 다음에 ", 노동"이라고 썼다가 곧바로 지웠음.
16 (v) 여기에 "유통의 표면으로부터 …과 같이"(wie aus der Oberfläche d. Cir)라고 썼다가 곧바로 지웠음.
17 (v) "나타낼 뿐 아니라" ← "나타내고"
18 (v) 여기에 "wird gegen"이라고 썼다가 곧바로 지웠음.
19 (v) 여기에 "그리고"라고 썼다가 곧바로 지웠음.
20 (v) 여기에 "현실적인"이라고 썼다가 곧바로 지웠음.
21 (v) 여기에 "화폐는 …이다"(Das Geld ist)라고 썼다가 곧바로 지웠음.
22 (v) 여기에 "따라서 …해야만 한다"(muß also)라고 썼다가 곧바로 지웠음.
23 (v) 여기에 "이윤은 … 지불한다"라고 썼다가 곧바로 지웠음.
24 (v) "세금" — 새로 삽입된 것.
25 (v) "424" ← "3"
26 (v) "지불되는" ← "판매되는"
27 (v) "되돌아오는" — 새로 삽입된 것.
28 (v) 여기에 "화폐는 … 교환된다"라고 썼다가 곧바로 지웠음.
29 (v) "유통시키기 위해"의 표현을 "circuliren zu machen" ← "circuliren zu lassen"
30 (v) 여기에 "부분"이라고 썼다가 곧바로 지웠음.
31 (v) "하인"(servant) ← "점원"(commis)
32 (v) 여기에 "수중에서"라고 썼다가 곧바로 지웠음.
33 (v) "화폐를" — 새로 삽입된 것.
34 (v) 여기에 "지불수[단]의 경우"라고 썼다가 곧바로 지웠음.
35 (v) 여기에 "금리생[활자]"라고 썼다가 곧바로 지웠음.
36 (v) "동일한 사람의" ← "그의"
37 (v) "425" ← "4"
38 (v) 여기에 "케네의 가정에 따르면 비생산적 계급은…"이라고 썼다가 곧바로 지웠음.
39 (v) "그리고 시간" — 새로 삽입된 것.
40 (v) "법칙" ← "방식"
41 (v) "사용되어"(gewirkt) 다음에 "hat"라고 썼다가 곧바로 지웠음.
42 (v) 여기에 "생산물"이라고 썼다가 곧바로 지우고 "상품…"(Waare ver)이라고 썼다가 곧바로 지웠음.
43 (v) "그러니 내게 2파운드의 실에 해당하는 가치를 지불해다오." — 이 문장 전체가 새로 삽입된 것.
44 (k) "방적기" — 자필 원고에는 "방직기"로 되어 있음.
45 (v) "대상화하지도" — 처음에는 "대상화하지 못했을 것이다"라고 썼다가 곧바로 지웠음.

46 (v) "방적기" ← "직기"
47 (v) "426" ← "5"
48 (v) 여기에 "그러나 나는 스스[로]"라고 썼다가 곧바로 지웠음.
49 (v) "대답한다" ← "말한다"
50 (v) 여기에 "상품"이라고 썼다가 곧바로 지웠음.
51 (v) 여기에 "너의 가치에"라고 썼다가 곧바로 지우고 "너의 가치에 비례하여 교환[되는]"이라고 썼다가 곧바로 지웠음.
52 (v) "그"의 표현을 "ihren" ← "denselben"
53 (v) "**구매자**에게 판매해야" ← "판매하고, **구매자**가 그것을 그 가치 이상으로 지불해야"
54 (v) 여기에 "그것보다 더 적은 가치로"라고 썼다가 곧바로 지웠음.
55 (v) 여기에 "새로운 …에 따르면"이라고 썼다가 곧바로 지웠음.
56 (v) "판매자에게" — 새로 삽입된 것.
57 (k) "5" — 자필 원고에는 "10"으로 되어 있음.
58 (k) "5" — 자필 원고에는 "10"으로 되어 있음.
59 (k) "5" — 자필 원고에는 "10"으로 되어 있음.
60 (v) "나는 ← "너는"
61 (k) "남겨야 한다"(muß) — 초고에는 "mußt"로 되어 있음.
62 (k) "2½" — 자필 원고에는 "5"로 되어 있음.
63 (k) "2½" — 자필 원고에는 "5"로 되어 있음.
64 (k) "5" — 자필 원고에는 "10"으로 되어 있음.
65 (v) "426a ← "6"
66 (v) "실의"의 표현을 "its" ← "his"
67 (v) "그 어떤 …도" — 새로 삽입된 것.
68 (v) 여기에 "더더욱"(still more)이라고 썼다가 곧바로 지웠음.
69 (v) "정말 기막힌 생각이야!"의 표현을 "The idea!" ← "A queer notion, indeed!" ← "A fine idea, indeed."
70 (v) 여기에 "방적업에 착수했다고"라고 썼다가 곧바로 지웠음.
71 (v) "사업이 … 또한 사업의 위험과 위험 가능성을 자네가 과장한다고"의 표현을 "line of business, and magnify yourselves its risks and perilous chances!" ← "line, and magnify yourself the risks and the chances of that trade!"
72 (v) "자네에게 우리 상품을 선물로 주어야" ← "우리 상품을 가치 이하로 판매해야"
73 (v) 여기에 "주게나"(Give)라고 썼다가 곧바로 지웠음.
74 (v) "할인료" ← "가격"
75 (v) "전체" — 새로 삽입된 것.
76 (v) 이 앞에 "for"라고 썼다가 곧바로 지웠음.
77 (v) "12" ← "15"
78 (v) 여기에 "그러면"이라고 썼다가 곧바로 지웠음.
79 (v) 여기에 "자네가"라고 썼다가 곧바로 지웠음. "게다가" — 새로 삽입된 것.
80 (v) 여기에 "자네의 어음은 더는 … 않다네"라고 썼다가 곧바로 지웠음.
81 (v) 여기에 "…처럼"(wie)이라고 썼다가 곧바로 지웠음.
82 (v) "427" ← "7"
83 (v) "자본가에게서" — 새로 삽입된 것.
84 (v) 다음에 "…하는 한"(, so weit)이라고 썼다가 곧바로 지웠음.
85 (k) "이런"(Diese) — 자필 원고에는 "Dieser"로 되어 있음.

86 (k) "판매자" — 자필 원고에는 "구매자"로 되어 있음.
87 (k) "판매한" — 자필 원고에는 "구매한"으로 되어 있음.
88 (v) 여기에 "이 형태 G — W — …"라고 썼다가 곧바로 지웠음.
89 (v) 여기에 "그리고 …을 절약하여"라고 썼다가 곧바로 지웠음.
90 (v) 여기에 "W — G"라고 썼다가 곧바로 지웠음.
91 (v) "생활수단" ← "상품"
92 (k) "마찬가지이다"(finden … statt) — 자필 원고에는 "finden … an"으로 되어 있음.
93 (v) "…이라는"의 표현을 "wäre als" ← "ist als"
94 (e) 카를 마르크스, 『경제학 비판을 위하여』, 제1권, 베를린, 1859년, 101~03쪽.
95 (e) 카를 마르크스, 『경제학 비판을 위하여』, 제1권, 베를린, 1859년, 78쪽.
96 (v) "10실링어치의 생활수단을 현물로"(Lebensmittel zum Preiß von 10 sh. in natura) — "Preiß"의 다음에 "in"을 썼다가 곧바로 지웠음.
97 (v) 여기에 "유[통과정]"이라고 썼다가 곧바로 지웠음.
98 (v) 여기에 "상품의 가치, die d."라고 썼다가 곧바로 지웠음.
99 (v) "428" ← "8"
100 (v) 여기에 "화폐"라고 썼다가 곧바로 지웠음.
101 (k) "지대"(Grundrente) — 자필 원고에는 "Geldrente"로 되어 있음.
102 (v) 여기에 "증서"라고 썼다가 곧바로 지웠음.
103 (e) G589~G600쪽을 보라. 마르크스의 이 이야기는 데스튀트 드 트라시에 대한 이 서술이 그가 별도의 노트(나중에는 제10노트)에서 작업할 때 이미 집필이 끝나 있었다는 의미이다. 따라서 별도의 노트에 "여록. 케네의 경제표"를 적기 위해서 마르크스는 제9노트의 408~19쪽 사이에서 집필을 중단했음이 분명하다.
104 (v) "화폐유통" ← "유통"
105 (e) 노동자와 자본가 사이의 화폐유통에 대한 브레이의 견해를 마르크스는 해당 편에서는 다루지 않았다. G662~G668쪽을 보라.
106 (e) G639/G640쪽을 보라.
107 (k) "구매한" — 자필 원고에는 "판매한"으로 되어 있음.
108 (v) 여기에 "상품"이라고 썼다가 곧바로 지웠음.
109 (k) "판매자" — 자필 원고에는 "구매자"로 되어 있음.
110 (v) 다음에 "화폐로"라고 썼다가 곧바로 지웠음.
111 (k) "구매한" — 자필 원고에는 "판매한"으로 되어 있음.
112 (k) "구매한" — 자필 원고에는 "판매한"으로 되어 있음.
113 (k) "토지소유자" — 자필 원고에는 "기계 제조업자"로 되어 있음.
114 (k) "200" — 자필 원고에는 "1,000"으로 되어 있음.
115 (v) 여기에 "(…을 제외하고"라고 썼다가 곧바로 지웠음.
116 (v) "429" ← "9"
117 (k) "제빵업자" — 자필 원고에는 "정육업자"로 되어 있음.
118 (k) "제빵업자" — 자필 원고에는 "정육업자"로 되어 있음.
119 (k) "끌어낼 수 없기"(zieht nicht) — 자필 원고에는 "끌어낼 수 있을 뿐이기"(zieht nur)"로 되어 있음.
120 (e) 마르크스는 이 문제를 1861~63년 초고에서는 더 다루지 않았다. 그는 이 문제를 1863~65년 초고에서 전반적으로 다루었는데, 그것은 나중에 엥겔스에 의해 『자본』 제2권(제17장, 제20장, 제21장)에 자리를 잡았다.
121 (v) "다시 전화하지" ← "전[화하지]"

122 (v) 여기에 "…가운데 하나"(eine der)라고 썼다가 곧바로 지웠음.
123 (v) 여기에 "금과 은은 은행권을 다시 …"라고 썼다가 곧바로 지웠음.
124 (v) "상품의" — 새로 삽입된 것.
125 (v) 여기에 "흘러가다"(strömt)라고 썼다가 곧바로 지웠음.
126 (v) "430" ← "10"
127 (v) "발행자" ← "대부자"
128 (v) 여기에 "화폐"라고 썼다가 곧바로 지웠음.
129 (e) G641쪽 21~22행에 관한 해설(위의 주 120 — 옮긴이)을 보라.
130 (v) "…어치가" — 새로 삽입된 것.
131 (v) 여기에 "화폐가 자리를 바꾼다"(Das Geld wech[selt])라고 썼다가 곧바로 지웠음.
132 (v) "431" ← "11"
133 (v) "화폐" — 새로 삽입된 것.,
134 (v) 여기에 "다른 토지소유자가 …에 대한"(worauf der andre landlord)이라고 썼다가 곧바로 지웠음.
135 (v) 여기에 "이미"라고 썼다가 곧바로 지웠음.
136 (v) "자본" ← "상품"
137 (v) "전화시킨다" ← "보전한다"
138 (v) "재전화" ← "전화" ← "보전"
139 (v) 이어서 다음과 같이 썼다가 곧바로 지웠음. "즉 $\frac{1}{5}$은 토지소유자가 먹어치우고, $\frac{1}{5}$은 S의 생활수단으로, $\frac{1}{5}$은 S를 위한 원료로, $\frac{1}{5}$은 F의 재생산에 들어간다. 그러나 마지막 $\frac{1}{5}$은 도대체 어디로 가는 것일까?"
140 (v) 여기에 "그에게 자신이 선대한 것 가운데 S의 원료와 교환된 부분을 보전해 준다"고 썼다가 곧바로 지우고 "S의 생산물"이라고 썼다가 곧바로 지웠음.
141 (v) 여기에 "F는 …에게 …을 준다"라고 썼다가 곧바로 지웠음.
142 (k) "F" — 자필 원고에는 "f"로 되어 있음.
143 (v) "이루고" ← "보전하고"
144 (k) "(a′ — b′)" — 자필 원고에는 "(a″ — b″)"로 되어 있음.
145 (v) 여기에 "원료를 구[매하고]"라고 썼다가 곧바로 지웠음.
146 (k) "처음부터" — 자필 원고에는 "처음에는"으로 되어 있음.
147 (k) "존재한다" — 자필 원고에는 "존재했다"로 되어 있음.
148 (v) "432" ← "12"
149 (k) "$\frac{1}{2}$" — 자필 원고에는 "$\frac{1}{5}$"로 되어 있음.
150 (k) "갖게 된다"(sieht) — 자필 원고에는 "besitzt"로 되어 있음.
151 (v) "마지막" — 새로 삽입된 것.
152 (k) "갖게 되고"(sieht) — 자필 원고에는 "besitzt"로 되어 있음.
153 (v) "화폐는"의 표현을 "das Geld" ← "es"
154 (v) 이어서 다음과 같이 썼다가 곧바로 지웠음. "선분 a″ — d는 최초의 자본투하 가운데 절반이 S와 교환되고 S의 생산물에 의해 갱신된다는 것을 의미한다. S는 그것을 화폐와 교환하지만 그 화폐로 생활수단을 구매하지 않는다. 여기에서는 상품과 상품의 교환이 발생하지 않는다. 그리고 이것은 매우 단순하다. *1)F(S — 옮긴이)는 차지농업가로부터 10억 파운드스털링어치의 생활수단과 10억 파운드스털링어치의 원료, 즉 모두 20억 파운드스털링어치를 구매한다. 그런데 F는 S에게서 자신의 최초의 자본투하 가운데 절반을 보전하기 위해 단지 10억 파운드스털링어치의 상품만을 구매한다. 따라서 *2)S는 F에 대하여 10억 파운드스털링의 화폐를 차액으로 지불해야 하고 그는 P에게 자신의 상품 10억 파운

드스털링어치를 판매하고 받은 10억 파운드스털링의 화폐로 이를 지불한다(최종적으로). 따라서 Q(케네 — 옮긴이)는 여기에서 계산을 잘못한 것으로 보이는데, 즉 그는 a″ — d, 혹은 a′ — b″ 혹은 두 경우 모두 상품과 상품의 교환으로 간주했던 것이다. 그러나 *3)S는 생활수단으로 지불되지 않는다."

*1) 여기에 "D. P."라고 썼다가 나중에 지웠음.

*2) 여기에 "F."라고 썼다가 나중에 지웠음.

*3) "S는 생활수단으로 지불되지 않는다"에 이어서 "In einem oder"라고 썼다가 "S는"을 남기고 곧바로 지우고 "생활수단을 구매하는 것은 아니다"라고 썼다가 곧바로 지우고 "F.는 … 구매한다"고 썼다가 곧바로 지웠음.

155 (v) "F에 대한" — 새로 삽입된 것.

156 (e) 마르크스가 말하는 보도의 주석은 『경제표 해설』이다. 이 글의 출처는 외젠 데르 엮음, 『중농주의자…』, 제2부, 파리, 1846년, 822~67쪽.

157 (k) "10억" — 자필 원고에는 "100만"으로 되어 있음.

158 (v) 다음에 행을 바꿔 다음과 같이 썼다가 곧바로 지웠음. "선분 a′ — b″에서 차지농업가는 S의 *상품을 구매하지 않는다."

*여기에 "원료상품"이라고 썼다가 나중에 지웠음.

159 (v) "433" ← "13"

160 (v) "화폐" — 새로 삽입된 것.

161 (v) 여기에 "그는 P에게서 … 지불한다"라고 썼다가 곧바로 지웠음.

162 (v) "화폐" — 새로 삽입된 것.

163 (v) "사용된" ← "필요한"

164 (k) "… 에게서 … 구매하지만"(kauft vom) — 자필 원고에는 "… 에게 … 판매하지만"(verkauft an den)으로 되어 있음.

165 (v) 여기에 "상품이 화폐로 … 때문이다"라고 썼다가 곧바로 지웠음.

166 (k) "S는" — 자필 원고에는 "그는"으로 되어 있음.

167 (k) "S가 20억 파운드스털링의 화폐로" — 자필 원고에는 "$\frac{S}{\text{20억의 화폐}}$"로 되어 있음.

168 (k) "F가 10억 파운드스털링의 화폐로" — 자필 원고에는 "$\frac{F}{\text{10억의 화폐}}$"로 되어 있음.

169 (k) "F" — 자필 원고에는 "S"로 되어 있음.

170 (k) "S는" — 자필 원고에는 "그는"(er)으로 되어 있음.

171 (k) "S는" — 자필 원고에는 "그는"(er)으로 되어 있음.

172 (k) "10억" — 자필 원고에는 "20억"으로 되어 있음.

173 (v) "유통" 앞에 정관사 "die"를 새로 삽입했음.

174 (v) "434" ← "14"

175 (v) 여기에 "화폐"라고 썼다가 곧바로 지웠음.

176 (v) "화폐로" — 새로 삽입된 것.

177 (k) "가치" — 자필 원고에는 "화폐"로 되어 있음.

178 (v) 여기에 "그러나 차[액]으로"라고 썼다가 곧바로 지웠음.

179 (v) "자신의 금고에서 꺼내어" — 새로 삽입된 것.

180 (v) 여기에 "이것은 III의 경우이다"라고 썼다가 곧바로 지웠음.

181 (v) "가치" — 새로 삽입된 것.

182 (v) 여기에 "차지농업[가]에게"라고 썼다가 곧바로 지웠음.

183 (v) "이 경우" — 새로 삽입된 것.

184 (v) "435" ← "15"

185 (v) "주고" ← "구매하고"

186 (v) "그에게서 단지 20억 파운드스털링의 상품만을 받는다." — 새로 삽입된 것. 이 구절이 끝난 다음에 "그것은"(Es)이라고 썼다가 곧바로 지우고 "F는 상품을 준다"고 썼다가 곧바로 지우고 "10억어치의 상품을 구매한다. 상품"이라고 썼다가 곧바로 지웠음.

187 (v) 여기에 "fliessen"(흐르다)라고 썼다가 곧바로 지웠음.

188 (k) "상품을 유통시키는 데 필요한 화폐량" — 자필 원고에는 "유통에 필요한 상품량"으로 되어 있음.

189 (k) "20억" — 자필 원고에는 "10억"으로 되어 있음.

190 (v) 여기에 다음과 같이 썼다가 곧바로 지웠음. "그에게로 다시 환류하고 최종적으로 다른 사람의 수중으로 옮겨 가지 않았기 때문에 그것은 형식적으로 순환을 한 것이다."

191 (v) "자본으로서도"(auch als Capital) → "auch"는 새로 삽입된 것.

192 (v) "두 번"(doppelseitig) ← "서[로]"(wech[selseitig])

193 (v) 여기에 "만일 B가 …에 대한 차액을 …한다면"이라고 썼다가 곧바로 지웠음.

194 (v) "같은"(Ausgleichung) ← "차액"(Bilanz)

195 (v) 여기에 "상품을 구매하고"라고 썼다가 곧바로 지웠음.

196 (k) "20억" — 자필 원고에는 "2억"으로 되어 있음.

197 (v) "20억 파운드스털링어치의" — 새로 삽입된 것.

198 (k) "I" — 자필 원고에는 "II"로 되어 있음.

199 (v) 여기에 다음과 같이 썼다가 곧바로 지웠음. "이 화폐액이 궁극적으로* 차액을 흑자로 갖는 마지막 판매자의 수중에 있을 때까지"
＊다음에 "als"라고 썼다가 나중에 지웠음.

200 (v) "436" ← "16"

201 (v) "물론 이것은"(dieß alles natürlich) — "dieß" 다음에 "natü[rlich]"라고 썼다가 곧바로 지우고 본문처럼 썼음.

202 (v) "균등하게" — 새로 삽입된 것.

203 (v) 여기에 다음과 같이 썼다가 곧바로 지웠음. "A는 B에게 10억 파운드스털링어치를 판매한다. 그러나 1억 파운드스털링이 두 번 유통하기 위해서는 어쨌든 중간과정이 있어야만 한다. 즉 A가 다시 예컨대 C의 구매자가 되어야만 한다. C는 10억 파운드스털링으로 A′에게 구매하고 A′은 그 돈으로 …"

204 (v) "1)" — 새로 삽입된 것.

205 (k) "A가 B에게" — 자필 원고에는 "B가 A에게"로 되어 있음.

206 (v) "2)" — 새로 삽입된 것.

207 (v) "3)" — 새로 삽입된 것.

208 (v) "4)" — 새로 삽입된 것.

209 (v) "5)" — 새로 삽입된 것.

210 (v) "6명 사이에서" — 새로 삽입된 것.

211 (v) "1)" — 새로 삽입된 것.

212 (v) "2)" — 새로 삽입된 것.

213 (v) "자리를" ← "손을"

214 (k) "G — W" — 자필 원고에는 "G"로 되어 있음.

215 (v) 여기에 "내가 … 하는 것"(was ich)이라고 썼다가 곧바로 지웠음.

216 (e) 카를 마르크스, 『경제학 비판을 위하여』 제1권, 베를린, 1859년, 85쪽.

217 (v) "그중 절반인" — 새로 삽입된 것.

218 (v) "한" — 새로 삽입된 것.

219 (v) "상품가격" ← "상품"

220 (v) 여기에 "회전한다"라고 썼다가 곧바로 지웠음.
221 (v) "매번" — 새로 삽입된 것.
222 (v) "가격 총액" ← "총액"
223 (v) "더 적지도 않기" — 새로 삽입된 것.
224 (v) "어치" — 새로 삽입된 것.
225 (v) "어치" — 새로 삽입된 것.
226 (v) 여기에 "따라서 … 상품가격량이 … 으로써"(Indem also die Preiß* masse der Waaren, die)라고 썼다가 곧바로 지웠음.
* "Preiß" — 새로 삽입된 것.
227 (e) 카를 마르크스, 『경제학 비판을 위하여』 제1권, 베를린, 1859년, 76~79쪽.
228 (k) "나타난다"(treten … ein) — 자필 원고에는 "treten … statt"로 되어 있음.
229 (e) 카를 마르크스, 『경제학 비판을 위하여』 제1권, 베를린, 1859년, 78쪽.
230 (v) 여기에 "이들 일련의 행위는 사실상 …을 나타내야만 할 필요가 있다"라고 썼다가 곧바로 지웠음.
231 (v) "…의 행위를" — 새로 삽입된 것.
232 (v) 여기에 "시작되었다는 것을"이라고 썼다가 곧바로 지웠음.
233 (v) "새로운 재생산" ← "재[생산]"
234 (v) 여기에 다음과 같이 썼다가 곧바로 지웠음. "화폐 차액이 최초의*1) 판매자 수중에 있다면 화폐는 환류된 것이 아니라 소유자를 바꾼 것 — 위치 변경 — 이 된다. 예를 들어 위에서 말한 것처럼. F는 S에게서 10억 파운드스털링어치를 구매한다. S는 F에게서 20억 파운드스털링어치를 구매한다. 차액 10억 파운드스털링은 F에게로 환류한다. 반대로 S가 처음에*2) F에게서 20억 파운드스털링어치를 구매하고 F가 S에게서 20억 파운드스털링어치를 구매한다. F가 S에게서 20억 파운드스털링어치를 구매하고 S가 F에게서 10억 파운드스털링어치를 구매한다." 그리고 다음과 같이 썼다가 곧바로 지웠음. "F의 10억 파운드스털링의 화폐. F가 S에게서 10억 파운드스털링어치를 구매하고 S가 F에게서 10억 파운드스털링어치를 구매한다. 최초의 구매자 F는 최종적으로 판매자이다."
*1) "최초의" — 새로 삽입된 것.
*2) "처음에" — 새로 삽입된 것.
235 (v) 여기에 "그러나 만일 F가 S에게서 20억 파운드스털링어치를 구매하고 S가 F에게서 10억 파운드스털링어치만을 구매한다면"이라고 썼다가 곧바로 지우고 "S는 F에게서 10억 파운드스털링어치를 구매하고 F는 S에게서 10억 파운드스털링어치를 구매한다"고 썼다가 곧바로 지웠음.
236 (v) "437" ← "17"
237 (v) "차액의 지불 없이도" — 새로 삽입된 것.
238 (v) 여기에 "발생하고"라고 썼다가 곧바로 지웠음.
239 (v) 이 문장 전체가 새로 삽입된 것.
240 (e) **"발명"** — 강조는 마르크스가 한 것.
241 (v) 다음에 "포함하다"(einzuschliessen)라고 썼다가 곧바로 지웠음.
242 (k) "1750년대" — 자필 원고에는 "1720년대"로 되어 있음.
243 (v) 다음에 "가장 천재[적인]"이라고 썼다가 곧바로 지웠음.
244 (v) "교환" ← "유통"
245 (v) 여기에 "엄밀하게"라고 썼다가 곧바로 지웠음.
246 (v) "암시해주고" ← "존재하고"
247 (v) 여기에 "또한 …에 대하여"(weiter von)라고 썼다가 곧바로 지웠음.

248 (e) “차용증에 의한 채무가 적어도 60억, 회사 출자금이 약 20억, 국채가 80억으로 도합 280억에 이른다” — 프루동의 원문에는 다음과 같이 되어 있음.

	120억(어떤 사람은 160억이라고도 한다)
차용증에 의한 채무,	적어도 60억
회사 출자금	대략 20억
여기에 부가되는 국채	80억
합계	280억

249 (e) “따라서 이자율은 160퍼센트가 된다.” — 프루동의 원문에는 다음과 같이 되어 있음. “그런데 6퍼센트로 정해진 이자율이 어떻게 해서 160퍼센트로 되는 것일까?”(152, 153쪽)

250 (k) “151” — 자필 원고에는 “152”로 되어 있음.

e) 랭게. 『민법 이론』, 런던, 1767년

1 (v) “438” ← “18”

2 (v) 이 문장의 첫머리를 “나의 집[필계획]에는 … 없다”(Es liegt nicht im Plan meiner Sc[hrift])라고 썼다가 곧바로 지웠음.

3 (v) 여기에 “모든 점을 고려하건대”라고 썼다가 곧바로 지웠음.

4 (v) “몇몇”(paar) ← “극소수의”(sehr wenigen)

5 (v) 다음에 “오히려 그는 반동적이며, 하지만 s.”라고 썼다가 곧바로 지웠음.

6 (v) 여기에 “해방”이라고 썼다가 곧바로 지웠음.

7 (v) 다음에 “당시에는 아직 …에 지나지 않는 전체 상황을 … 보여준다”(zeigt, die ganzen Zustände, die damals nur)라고 썼다가 곧바로 지웠음.

8 (v) 여기에 “진지한 것인지, 모순적인 것인지 올바로 알지 못하는”이라고 썼다가 곧바로 지웠음.

9 (v) “유럽의” — 새로 삽입된 것.

10 (v) “아시아적” ← “야만적”

11 (v) “즉” — 새로 삽입된 것.

12 (e) “법의 정신은 곧 소유이다” — 랭게의 원문에는 다음과 같이 되어 있음. “법의 정신은 소유를 신성시하는 것이다.”(224쪽)

13 (e) 여기부터 G662쪽 “f) 브레이” 앞까지는 제7노트(런던, 1859~62년), 68~76쪽에서 옮겨 쓴 것.

14 (e) “문명화된 나라들”(civilisés) — 랭게의 원문에는 “policés”로 되어 있음.

15 (e) “**자연에 대한 배타적 소유를 감히 주장하는 … 그 부를 더욱 늘리기 위해 노동해야만 한다.**” — 강조는 마르크스가 한 것.

16 (e) “소유는 법보다 먼저 존재했다” — 랭게의 원문에는 “따라서 소유는 법률 이전에 존재해야만 한다.”로 되어 있음.

17 (v) “사회의 모든 의무는 명령과 복종으로 귀결된다.” — 이 문장 전체가 새로 삽입된 것.

18 (e) 여기부터 G661쪽 중간 “… **이것이 자유의 의미란 말인가**?(472쪽)”까지 강조는 모두 마르크스가 한 것.

19 (v) “439” ← “19”

20 (e) “끊임없이”(chaque moment) — 랭게의 원문에는 “chaque instant”로 되어 있음.

21 (v) “440” ← “20”

22 (e) “폼페이우스”(Pompeux) — 랭게의 원문에는 “Pompée”로 되어 있음.

23 (k) "468" — 자필 원고에는 "468, 469"로 되어 있음.
24 (k) "496" — 자필 원고에는 "495"로 되어 있음.
25 (v) "441" ← "21"

f) 브레이, 『노동의 해악과 노동의 구제 방안』, 리즈, 1839년

1 (e) "**원료**" — 강조는 마르크스가 한 것.
2 (e) "인간 존재는 노동을 전제로 하고 … 공동 소유여야만 한다." — 브레이의 원문에는 다음과 같이 되어 있음. "… 어떤 인간 존재의 생명도 … 노동이 없이는 유지될 수 없기 때문에 … 모든 주민의 공동 소유이다."
3 (k) "일어날"(kann … stattfinden) — 자필 원고에는 "kann… stattfand"로 되어 있음.
4 (e) "따라서 한 개인이 노동을 면한다면 그것은 오로지 대중의 노동이 증가하는 조건에서만 일어날 수 있다." — 브레이의 원문에는 다음과 같이 되어 있음. "따라서 한 개인이 노동을 면할 수 있는 것은 오로지 **대중의 노동이 증가하는** 조건일 때뿐이다."
5 (k) "31" — 자필 원고에는 "32"로 되어 있음.
6 (e) "토지에 대한 권리"(Rechts auf Grund and Boden) → 브레이의 원문에는 "토지의 권리"(a right in the soil)라고 되어 있음.
7 (v) "선포하고"(sich vindicirt) — "sich"를 나중에 새로 삽입했음.
8 (e) "어떤 사회제도하에서도 빈곤이 노동자들의 몫이 되어서는 안 된다는 것" — 브레이의 원문에는 "현재의 사회체제에서 노동자들의 몫이 되어 있는 영락과 빈곤은 어떤 사회체제하에서도 노동자들의 당연한 상태가 아니다"로 되어 있음.
9 (e) "경제학자들 자신의 이야기에 따르면 … 이것들은 일반적 생산조건이다" — 브레이의 원문에는 다음과 같이 되어 있음. "경제학자들 자신이 '효용의 생산을 위해 필요하다'고 인정하는 조건은 다음과 같다. 1) **노동이 존재하는 것**. 2) **과거노동의 축적, 또는 자본이 존재하는 것**. 3) **교환이 존재하는 것**. …"
10 (e) "피해 갈"(umgehn) — 브레이의 원문에는 "벗어날"(escape)로 되어 있음.
11 (e) "그리고 동일한 가치는 언제나 동일한 가치에 대해서만 교환될 것이다." — 브레이의 원문에는 "**그리고 동일한 가치는 언제나 동일한 가치에 대해서만 교환될 것이다**"로 되어 있음.
12 (e) "반년 치의 노동" — 브레이의 원문에는 "겨우 반년의 노동가치"로 되어 있음.
13 (e) "권력과 부" — 브레이의 원문에는 "부와 권력"으로 되어 있음.
14 (e) "필연적인 결과" — 브레이의 원문에는 "필연적인 상태"(inevitable condition)로 되어 있음.
15 (k) "48～49" — 자필 원고에는 "47～49"로 되어 있음.
16 (e) "않는" — 브레이의 원문에는 "**않는**"으로 되어 있음.
17 (e) "교환" — 브레이의 원문에는 "**교환**"으로 되어 있음.
18 (e) "**어떤 것도** 교환할 수 **없다.**" — 강조는 마르크스가 한 것.
19 (e) "아무런 대가도 제공하지 않고 취득한 것" — 브레이의 원문에는 "**아무런** 대가도 제공하지 **않고** 취득한 것"으로 되어 있음.
20 (e) "한 인간"(einem Menschen) — 브레이의 원문에는 "인간"(man)으로 되어 있음.
21 (v) "하나의 빵 덩어리에서 한 조각"(eine Scheibe von einem Laib Brod) — 처음에 "Scheibe" 다음에 "Brod"를 썼다가 곧바로 지웠음.
22 (v) "442" ← "22"

23 (e) “노동 없는 축적도 결코 있을 수 없다.”—브레이의 원문에는 “**노동 없는 축적도 결코 있을 수 없다**”로 되어 있음.

24 (k) “노동의”(Arbeit,)—자필 원고에는 쉼표가 없음.

25 (k) “대가만을”(Equivalent,)—자필 원고에는 쉼표가 없음.

26 (e) “자신의 노동”—브레이의 원문에는 “**자신의 노동**”으로 되어 있음.

27 (e) “다른 사람의 노동”—브레이의 원문에는 “**다른 사람의 노동**”으로 되어 있음.

28 (e) “**아니라는**”—강조는 마르크스가 한 것.

29 (v) 여기에 “노동”이라고 썼다가 곧바로 지웠음.

30 (e) “역으로”—브레이의 원문에는 “**역으로**”로 되어 있음.

31 (e) “자본에 이익이 되는 일은 언제나 노동에도 똑같이 이익이 되고”—브레이의 원문에는 “**자본에 이익이 되는 일은 언제나 노동에도 똑같이 이익이 되고**”로 되어 있음.

32 (v) 다음에 “ist nicht des Arbeiters accumulation, sondern seine Accumulation als”라고 썼다가 곧바로 지웠음.
(k) 자필 원고에는 다음에 “ist”라는 단어가 있는데 빠뜨리고 지우지 못한 듯함.

33 (e) “**이들 경제학자는 항상 자본과 노동을 곧바로 각각의 사회계급과 동일시했지만**”—강조는 마르크스가 한 것.

34 (v) “보이지 않는”—새로 삽입된 것.

35 (v) “443” ← “23”

36 (e) “토지나 물”—브레이의 원문에는 “가옥과 토지”로 되어 있음.

37 (e) “다른 계급을 위한 노동”—브레이의 원문에는 “**다른 계급을 위한 노동**”으로 되어 있음.

38 (k) “부양함”(erhält)—자필 원고에는 “감당함”(erträgt)으로 되어 있음.

39 (e) “스스로 노동을 수행하여 자신을 부양함과 동시에 자본가를 위한 노동도 함께 수행하여 자본가를 부양하는”—브레이의 원문에는 “**스스로 노동을 수행하여 자신을 부양함과 동시에 자본가를 위한 노동도 함께 수행하여 자본가를 부양하는**”으로 되어 있음.

40 (e) “**명목상의 … 자신의 노동 가운데 자본가에게서 되돌려 받아야만 할 부분을 자본가에게 넘겨주었다**”—강조는 마르크스가 한 것.

41 (k) 자필 원고에는 다음에 “gesagt werden”(…라고 말해지다)는 구절이 있었는데 빠뜨리고 지우지 못한 듯함.

42 (k) “수십만 명”—자필 원고에는 “수백만 명”으로 되어 있음.

43 (v) 여기에 “농업과 제조업”이라고 썼다가 곧바로 지웠음.

44 (e) “모두 부양할”—브레이의 원문에는 “모든 사람을 현재 부양하고 있는 방식으로 부양할”로 되어 있음.

45 (v) “없을”(nicht)—새로 삽입된 것.

46 (v) “444” ← “24”

47 (e) “노동자계급 중에서 가장 높은 임금을 받는 같은 수의 노동자들이 받는 임금 총액보다 많다.”—브레이의 원문에는 “**노동자계급 중에서 가장 높은 임금을 받는 같은 수의 노동자들이 받는 임금 총액보다 많다**”로 되어 있음.

48 (e) 마르크스가 여기에서 말하는 것은 영국 최초의 통계학자인 그레고리 킹이 1696년 출판한 저작 『영국의 상태와 조건에 대한 자연적·정치적 고찰과 결론』에서 제시한 표를 가리킨다. 「영국의 가구 소득 및 지출 표—1688년 통계」라는 제목이 붙어 있고 찰스 대버넌트가 자신의 저작 『무역수지 흑자를 달성할 수 있는 방법에 대한 고찰』(런던, 1699년)에 첨부해두었다(G462/463쪽을 보라).

처리 완료 목록

아무 표시도 없는 것은 잉크로, B는 연필로 표시한 곳을 나타낸다.

• 표는 난외 여백에 점을 찍어 처리 완료 표시를 취소한 곳을 나타낸다.

G393쪽 15~20행	114쪽: "연간 생산물의 가치가 … 1824년, 134, 135쪽)	
G393쪽 20~27행	114쪽: "러시아의 많은 사례들에서 … (같은 책, 135, 136쪽)	
G397쪽 29~40행	117쪽: 램지는 A. 스미스가 온갖 … 수행한단 말인가?	B
G398쪽 4~22행	118쪽: 이 문제에 잘못 뒤섞인 … 수행해야 하는 것이다.	B
G398쪽 29~36행	118쪽: 따라서 우선 다음과 … 산업자본가이기 때문이다.	B
G401쪽 10행~G402쪽 14행	120~21쪽: 그러나 여기에서 문제는 … 처리해도 무방하리라고 생각된다.	
G402쪽 15~18행	121쪽: 먼저 노동자의 임금을 … 모든 생활수단은 상품이다.	B
G402쪽 19~39행	121~22쪽: 그런데 이 상품들의 가치 … 대상화된 노동으로 감소할 것이다.	
G402쪽 37행~G405쪽 31행	122~25쪽: 이 경우 노동자는 … 에 의해 보전될 것이다.	B
G406쪽 1~13행	125쪽: 그리하여 완성된 생산물인 … 소비를 위한 것이라고 가정하자.	B
G406쪽 13~24행	125~26쪽: 그리고 단순히 중개만을 … 아마포업자에게서 구매할 것인가?	
G406쪽 24~36행	126쪽: 혹은 일련의 거래를 거쳐서 … 모두 아마포에 지출한다고 가정하자.	B
G407쪽 25행~G408쪽 21행	127~28쪽: 이 마지막 어려움을 해결하기 … 기가 막힌 이야기가 아닌가.	
G408쪽 22행~G412쪽 12행	128~32쪽: 위에서 든 예에서 우리는 … 분화되었다는 것을 보여준다.	
G412쪽 13행~G414쪽 34행	131~35쪽: A — 단지 12시간의 … 구매할 수 없다는 것을 보게 된다.	
G414쪽 35행~G416쪽 6행	135~36쪽: 따라서 소득의 가치가 생산물의 … 자세히 살펴볼 필요가 있다.	
G416쪽 18행~G418쪽 29행	137~39쪽: 한 나라의 연간 생산물이 … 방직업자에게 지불하지 않게 된다.	
G416쪽 37행~G417쪽 26행	137~38쪽: 우리의 예로 다시 돌아가기로 … 더 커질 것이 분명하다.	B
G418쪽 30행~G419쪽 6행	139~40쪽: 직접적이든 간접적이든 … 살펴봄으로써 풀어야만 한다.	B
G419쪽 20행~G420쪽 19행	140~41쪽: 그래서 다시 한번 정리하면 … 불변자본으로 계산해야만 한다.	B
G420쪽 20행~G422쪽 26행	141~43쪽: 그리하여, 아마 … 엘레가 들어와 있다.	B
G422쪽 27행~G425쪽 32행	143~46쪽: 우리는 계속해서 더 작은 … 없다는 것이 여기에서 드러났다.	
G425쪽 33행~G426쪽 41행	146~47쪽: 그렇다면 이제 다른 방식으로 … 있는가 하는 것뿐이다.	B
G427쪽 1~9행	147쪽: 처음의 논의에서 발생한 … 산업적 소비에만 들어갈 수 있다.	B
G427쪽 10행~G434쪽 38행	147~56쪽: 8엘레(=24시간의 노동 … 증기기관을 움직이는 데 사용된다.	B
G434쪽 36행~G435쪽 28행	156~57쪽: 예를 들어 석탄산업에서는 … 철 생산자에게 계산을 넘긴다.	

G435쪽 25행~G438쪽 13행	156~59쪽: 이것은 단지 계산상의 … 상품들의 합계이기 때문이다.	B
G438쪽 14~20행	159쪽: 철 생산자와 기계 제조업자의 관계는 … 이미 보전되었기 때문이다.	
G443쪽 7~19행	166쪽: 왜냐하면 자본가에게 노동력의 … 참여하는 모든 사람이 포함된다.	
G466쪽 18~23행	191~92쪽: 여기에 덧붙여서 불변자본과 … 부분이 존재한다는 것이다.	B
G497쪽 33행~G499쪽 6행	226~27쪽: 그것들은 단지 후자의 … 의존한다 — 에 의해서도 결정된다	
G499쪽 7~16행	227~28쪽: 잉여가치율이 주어진다면 … 방식을 통해 균등화할 수 있다)	
G509쪽 27~30행	239쪽: 만일 어떤 탄광에서 제철소에 … 석탄은 자본과 교환되고	B
G509쪽 30~34행	239쪽: 거꾸로 철은 자신의 가치액만큼 … 측면에서 볼 때)이다.	B
G509쪽 38~41행	239쪽: 예를 들어 탄광, 제철소, … 전체 구성부분 가운데 $\frac{1}{3}$이라고 하자.	B
G509쪽 38행~G513쪽 26행	239~43쪽: 예를 들어 탄광, 제철소, … 석탄이 제공되어야 할 것이다.	B
G513쪽 27행~G518쪽 27행	243~49쪽: 생산물은 여전히 30,000첸트너이다. … 이야기는 여기까지이다.	B
G530쪽 39행~G531쪽 10행	264쪽: 잉여가치는 잉여가치율 m/v에 … ×800＝m파운드스털링/1파운드스털링×n×n이다.	•
G531쪽 7~20행	264~65쪽: 만일 한 사람당 1파운드스털링을 … 잉여생산물(혹은 순생산물)의 총량이다.	B
G531쪽 18행~G532쪽 21행	265~66쪽: 이 경우에는 두 가지가 변하지 … 생산물로 전화했기 때문이다.	
G532쪽 31~35행	266쪽: 기계가 없을 경우 노동자 1명이 … 자본가는 1/6을 얻게 될 것이다.	B
G532쪽 31행~G533쪽 34행	266~67쪽: 기계가 없을 경우 노동자 1명이 … 똑같이 증가할 것이다.	B
G553쪽 16~26행	291쪽: 소득과 자본의 교환 … 문제를 고찰할 수 있다.	B
G553쪽 27행~G554쪽 9행	291쪽: 그리하여 연간 생산물의 총량은 … 농민 등은 아마포로 소비한다.	
G554쪽 8~9행 (etc … Leinwand.)	291쪽: 곡물 등으로 소비 … 농민 등은 아마포로 소비한다.	
G559쪽 15행~G574쪽 5행	296~313쪽: 이리하여 우리는 생산물 가운데 일부를 … 비판적 부분에서 끝을 맺어야만 한다.〕 (원서에는 G557쪽 15행이라 되어 있으나 원서의 오류이며 G557쪽은 복사 자료가 있다. — 옮긴이)	
G559쪽 39행	296쪽: 직접 소비재를 생산하는 부문에서 소비되어야만 한다.	
G561쪽 35행~G562쪽 6행	299쪽: A의 불변자본은 B의 소득을 … 자본이 자본으로서 만난다.	•
G565쪽 25~28행	303쪽: 따라서 현존하는 불변자본의 … 양(절대적인)은 클 수 있으나	•
G571쪽 6~8행 (Setze … ist die)	309쪽: B의 총생산물에서 거기에 들어가는 … 이윤 총액)이 1일 경우	
G571쪽 22~24행 (braucht … gehn)	309~10쪽: (적어도 유통에 들어갈 필요가 없으며 … 철, 목재, 기계 등은	
G576쪽 11~15행 (In … Form)	315쪽: 연간 총생산물의 교환가치에는 … 형태의 노동도 들어가는 것이다.	B
G576쪽 18~20행 (Es … Products)	315쪽: 둘 사이의 비율 … 총생산물의 **가치**는	B
G576쪽 21~24행 (von … commandirte)	315쪽: 대상화된 노동과 살아 있는 노동이 … 가정에서 출발한다면	B
G593쪽 5행~G594쪽 29행	335~37쪽: 2) 산업자본가들은 생산물 가운데 … 3)의 경우로 가게 된다.	
G596쪽 36~40행 ("Il … diminuées.")	340쪽: "유럽 전역에서 이들(산업자본가)이 … 생각해볼 필요가 있다."	
G598쪽 34행~G599쪽 10행 ("Ceux … Capitals.)	343쪽: "이윤으로 살아가는 사람 … 노동의 생산력은 자본의 생산력이다.	

문헌 찾아보기

G123

(표기된 쪽수는 MEGA의 쪽수를 가리킴 — 옮긴이)

I. 마르크스의 저작

II. 다른 저자의 저작

_____: 『곡물법과 곡물거래』(*Sur la législation et le commerce des grains*), 파리, 1775년. 출처: 『저작집』, 제4권, 로잔, 1786년. [제7노트(런던, 1859~62년)에서 발췌] 620, 622, 623

노스(North, Dudley): 『동인도 무역에 관한 고찰』(*Considerations upon the East-India trade*), 런던, 1701년. [1845년 맨체스터 노트에서 발췌] 463

대버넌트(Davenant, Charles): 『공공소득과 영국 무역에 대한 논의』(*Discourses on the publick revenues, and on the trade of England*), 전 2권, 런던, 1698년. [마르크스가 "1845년 7월 맨체스터"라고 기록한 노트에서 발췌] 463, 464

_____: 『동인도 무역에 관한 고찰』(*An essay on the East-India trade*), 런던, 1697년. 출처: 대버넌트, 『공공소득과 …』, 제2권, 런던, 1698년. [마르크스가 "1845년 7월 맨체스터"라고 기록한 노트와 제21노트(런던, 1853년)에서 발췌] 463

_____: 『무역수지 흑자를 달성할 수 있는 방법에 대한 고찰, 세입 에세이의 저자가 집필』(*An essay upon the probable methods of making a people gainers in the balance of trade… By the author of the essay on ways and means*), 런던, 1699년. [마르크스가 "1845년 7월 맨체스터"라고 기록한 노트에서 발췌] 462, 463

데르(Daire, Eugène): 『중농주의 이론에 대한 메모』(*Mémoire sur la doctrine des physiocrates*), 파리, 1847년. 348

데스튀트 드 트라시(Destutt de Tracy): 『이데올로기의 기본 원리. 제4부와 제5부. 의지와 그 작용에 대한 고찰』(*Élémens d'idéologie. 4. et 5. part. Traité de la volonté et de ses effets*), 파리, 1826년. [1844년 파리 노트에서 발췌] 589~600, 602

램지(Ramsay, George): 『부의 분배에 관한 고찰』(*An essay on the distribution of wealth*), 에든버러, 1836년. [제9노트, 제10노트(런던, 1851년)에서 발췌] 393, 394, 398

랭게(Linguet, Simon-Nicolas-Henri), 『민법 이론, 사회의 기본 원리』(*Théorie des loix civiles, ou principes fondamentaux de la société*), 전 2권, 런던, 1767년. [제7노트(런던, 1859~62년)에서 발췌] 657~662

레싱(Lessing, Gotthold Ephraim): 『함부르크 연극론』(*Hamburgische Dramaturgie*), 1767~69년. 604

로더데일(Lauderdale, James Maitland): 『사회적 부의 본질과 기원, 그리고 그것을 증진하는 요인과 그 방법에 대한 연구』(*An inquiry into the nature and origin of public wealth, and into the means and causes of its increase*), 에든버러, 런던, 1804년. 585, 587

_____: 『사회적 부의 본질과 기원, 그리고 그것을 증진하는 요인과 그 방법에 대한 연구』(*Recherches sur la nature et l'origine de la richesse publique, et sur les moyens et les causes qui concourent à son accroissement*), 라장티 드 라바이스(E. Lagentie de Lavaïsse)의 프랑스어 번역판, 파리, 1808년. [1845년 브뤼셀 노트에서 발췌] 384, 585~587

막한 고찰』(*Outlines of political economy; being a plain and short view of the laws relating to the production, distribution, and consumption of wealth; …*), 런던, 1832년. [제7노트(런던, 1859~62년)에서 발췌] 367

캉티용(Cantillon, Richard): 『상업 일반의 성질에 대한 고찰』(*Essai sur la nature du commerce en général*). 출처: 스미스, 『국부론』, 제1권, 파리, 1802년. [1844년 두 권의 파리 노트와 제7노트(런던, 1859~62년)에서 발췌] 367

케네(Quesnay, François): 『경제표 분석』(*Analyse du tableau économique*). 출처: 『중농주의자. 케네, 뒤퐁 드 느무르, 메르시에 드 라 리비에르, 보도 신부, 르 트로네. 외젠 데르에 의한 중농주의 원리 소개와 역사적 해설 및 주석 첨부』, 제1권, 파리, 1846년. [1845~46년 브뤼셀 노트에서 발췌] 348

_____: 『농업국가의 경제정책의 일반적 원칙과 그에 관한 주석』(*Maximes générales du gouvernement économique d'un royaume agricole, et notes sur ces maximes*). 출처: 『중농주의자. …』, 제1권, 파리, 1846년. 360, 361

킹(King, Gregory): 『영국의 상태와 조건에 대한 자연적·정치적 고찰과 결론』(*Natural and political observations and conclusions upon the state and the condition of England*), 런던, 1696년. 출처: 대버넌트, 『무역수지 흑자를…』, 런던, 1699년. 462, 463, 668

토런스(Torrence, Robert): 『로버트 필에게 드리는 편지, 영국의 상태와 경기침체의 원인을 제거하는 수단에 대하여』(*A letter to the Right Honourable Sir Robert Peel, Bart., M. P., on the condition of England, and on the means of removing the causes of distress*), 제2판, 런던, 1849년. [제7노트(런던, 1859~62년)에서 발췌] 491

투크(Tooke, Thomas): 『통화 원리에 대한 연구: 통화와 가격의 관련, 발권 업무를 은행부에서 분리함으로써 얻는 이익』(*An inquiry into the currency principle; the connection of the currency with prices, and the expediency of a separation of issue from banking*), 제2판, 런던, 1844년. [제7노트(런던, 1851년)에서 발췌] 416, 572

튀르고(Turgo, Anne-Robert-Jacques): 『부의 형성과 분배에 관한 고찰』(*Réflexions sur la formation et la distribution des richesses*), 파리, 1769~70년. 337, 349

_____: 『부의 형성과 분배에 관한 고찰』. 출처: 튀르고, 『저작집』, 외젠 데르에 의한 신판, 제1권, 파리, 1844년. [제7노트(런던, 1859~62년)에서 발췌] 348~353, 357, 360

파올레티(Paoletti, Ferdinando): 『사회를 행복하게 만드는 올바른 방법』(*I veri mezzi di render felici le società*), 밀라노, 1804년. 출처: 『이탈리아 경제학 고전 전집』(*Scrittori classici italiani di economia politica*), 근세 편, 제20권. [제7노트(런던, 1859~62년)에서 발췌] 353, 354

페리에(Ferrier, François-Lois-Auguste): 『상업의 관점에서 본 정부에 대하여』(*Du

gouvernement considéré dans ses rapports avec le commerce), 파리, 1805년[1845년 브뤼셀 노트에서 발췌] 574
페일리(Paley, William): 『도덕철학 및 정치철학의 원리』(*The principles of moral and political philosophy*). 출처: 맬서스, 『인구의 원리에 관한 에세이…』, 제4권, 파리, 1836년. 602
페티, 윌리엄(Petty, William), 『정치 산술…』(*Political arithmetick*…). 출처: 페티, 『정치 산술 에세이집』(*Several essays in political arithmetick: …*), 런던, 1699년. [마르크스가 "1845년 7월 맨체스터"라고 기록한 노트에서 발췌] 459, 464, 465, 505
_____: 『조세 및 공납에 대한 고찰』(*A treatise of taxes, and contributions*…) 런던, 1662년. 출처: 가닐, 『경제학 체계』, 제2판, 제2권, 파리, 1821년. 530
_____: 『조세 및 공납에 대한 고찰』, 런던, 1667년. 504, 505
_____: 『조세 및 공납에 대한 고찰』, 런던, 1679년. 출처: 스미스, 『국부론』, 제1권, 에든버러, 1828년. [제7노트(런던, 1859~62년)에서 발췌] 504, 505
포르카드(Forcade, Eugène): 『사회주의의 투쟁. II. 혁명적·사회적 경제학』(*La guerre du socialisme. II. L'économie politique révolutionnaire et sociale*). 출처: 《레뷔 데 되 몽드》, 제18년차, 새로운 시리즈, 제24권, 파리, 1848년. [제16노트(런던, 1851년)에서 발췌] 404
프루동(Proudhon, Pierre-Joseph): 『신용의 무상성. 바스티아와 프루동의 논쟁』(*Gratuité du crédit. Discussion entre M. Fr. Bastiat et M. Proudhon*), 파리, 1850년. [제16노트(런던, 1851년)에서 발췌] 656, 657
_____: 『소유란 무엇인가? 혹은 권리와 지배의 원리에 관한 연구』(*Qu'est-ce que la propriété? Ou recherches sur le principes du droit et du gouvernement*), 파리, 1841년. 404
_____: 『경제적 모순의 체계 혹은 빈곤의 철학』(*Système des contradictions économiques, ou philosophie de la misère*), 전 2권, 파리, 1846년. 360

호메로스(Homerus): 『일리아스』(*Ilias*). 604
호지스킨(Hodgskin, Thomas): 『대중 경제학. 런던 공학협회에서 행한 4번의 강의』(*Popular political economy. Four lectures delivered at the London Mechanics' Institution*), 런던, 1827년. [제9노트(런던, 1851년)에서 발췌] 380

『1861년 4월 24일 하원 질의에 대한 보고서』(*Return to an address of the Honourable The House of Commons, dated 24 April 1861*), 하원의 명령에 의해 1862년 2월 11일 인쇄. 520
『중농주의, 혹은 인류에게 가장 유익한 통치체제의 자연적 구조』(*Physiocratie, ou constitution naturelle du gouvernement le plus avantageux au genre humain*), 레이던/파리, 1768년. 출처: 가닐, 『경제학 체계』, 제2판, 제1권, 파리, 1821년. 553

『최근 맬서스가 주장하는 수요의 성질과 소비의 필요에 대한 원리 연구』(*An inquiry into those principles, respecting the nature of demand and the necessity of consumption, lately advocated by Mr. Malthus, from which it is concluded, that taxation and the maintenance of unproductive consumers can be conductive to the progress of wealth*), 런던, 1821년. [제12노트(런던, 1851년)와 제7노트(런던, 1859~62년)에서 발췌] 357

III. 정기간행물

《레뷔 데 되 몽드》(*Revue des Deux Mondes*)(파리) — 1831년 프랑수아 뷜로즈(François Buloz)가 창간한 반월간지. 404

인명 찾아보기

(각 인명 해설 뒤의 숫자는 MEGA의 쪽수를 가리킴 — 옮긴이)

| ㄱ |

| ㄴ |

| ㄷ |

| ㄹ |

| ㅁ |

| ㅂ |

| ㅅ |

| ㅇ |

| ㅈ |

| ㅊ |

| ㅋ |

| ㅌ |

| ㅍ |

MEGA② II/3.2의 부속자료는 MEGA② II/3.6을 출판할 때 다른 책들의 부속자료와 함께 합쳐져 제2부 제3권의 부속자료 총서로 발간되었다.